Este *Libro de trabajo* tiene como finalidad primordial consolidar los conocimientos y las destrezas lingüísticas que se han desarrollado con las actividades del *Libro del alumno*, del cual es complemento imprescindible. Para ello proporciona ejercicios, en su mayor parte de ejecución individual, centrados en aspectos particulares del sistema lingüístico (fonética, morfosintaxis, vocabulario, ortografía, estructuras funcionales, discursivas y textuales, etc.) que se practican en las actividades del *Libro del alumno*.

Esta nueva edición de GENTE 2 *Libro de trabajo* contiene, además de los ejercicios correspondientes a las once unidades del *Libro del alumno*, un **CD audio** con las audiciones de los ejercicios de este libro.

Por otra parte, al igual que en el *Libro del alumno*, hemos querido resaltar aquellas actividades que reflejan los aspectos metodológicos que propugna el **Marco común europeo de referencia para las lenguas**. Para ello, hemos marcado una serie de actividades con el icono Portfolio ▨ . Se trata, por un lado, de actividades de autoevaluación y de reflexión sobre las estrategias de aprendizaje que ayudarán al alumno a confeccionar la biografía lingüística de su Portfolio y, por otro, de actividades que podrían incluir en su dossier.

El *Libro de trabajo* se ha estructurado pensando eminentemente en el trabajo personal y en el desarrollo de la autonomía en el aprendizaje. Por este motivo, cada unidad está dividida en dos grandes apartados.

❶ Un conjunto de **Ejercicios** indispensables para la consolidación de aspectos formales.

Los ejercicios se describen en un índice que refiere el contenido temático y las destrezas que los alumnos ponen en funcionamiento (escribir, leer, hablar o escuchar). De esta forma, profesores y alumnos pueden seleccionar o secuenciar el material según sus necesidades e intereses.

Algunos ejercicios requieren la participación de otros compañeros y, por tanto, se tienen que realizar en el aula. Tales ejercicios se señalan con el símbolo ⟳. Asimismo, están marcadas con el icono 👤 las actividades de comprensión auditiva, para las cuales el alumno dispone del CD-audio que acompaña este libro.

El resto de ejercicios pueden realizarse de forma individual, fuera del aula, o bien se pueden trabajar en clase, al hilo del desarrollo de las actividades del *Libro del alumno*.

❷ Un apartado dedicado específicamente al desarrollo de la autonomía y de las estrategias de aprendizaje: la **Agenda**. Este apartado, que ocupa una doble página, contiene a su vez dos secciones fijas. En la primera, "Así puedes aprender mejor", los alumnos realizan actividades de aprendizaje en las que experimentan la aplicación de determinadas estrategias. Al final de estas actividades encuentran una reflexión sobre lo que han hecho, a modo de "truco de la lección".

La segunda sección, la "Autoevaluación", les permite escribir su diario personal del aprendizaje. Respondiendo a una serie de preguntas el alumno realiza una evaluación del desarrollo del aprendizaje y se implica en la dirección del mismo.

ÍNDICE

gente que se conoce

1 ¿Sabes quiénes son estos seis famosos? Vas a escuchar a seis personas que cuentan lo que les gustaría hacer con ellos. Completa el cuadro.

ANDY GARCÍA

ANTONIO BANDERAS

ISABEL ALLENDE

CAMERON DÍAZ

RICKY MARTIN

	¿Qué haría?	¿Con quién?	¿Por qué?
1			
2			
3			
4			
5			
6			

¿Y a ti, qué te gustaría hacer con ellos? ¿Coincides con las personas que has oído?

A mí también me encantaría subir a un escenario con Ricky Martin y bailar y cantar con él. Siempre me ha gustado.

2 Piensa en ocho personas famosas y escribe sus nombres.

1. _____ 2. _____ 3. _____ 4. _____

5. _____ 6. _____ 7. _____ 8. _____

¿Con cuál de ellos harías las siguientes cosas? ¿Con cuál no? Explica por qué.

trabajar	viajar a una isla desierta	casarse	salir de copas una noche
ir de compras	hacer una película	charlar un rato sobre...	

Hazle ahora las mismas preguntas a un compañero. Después cuenta a la clase lo que más te ha sorprendido de sus respuestas.

3 De los verbos que has usado en los ejercicios 1 y 2, unos son regulares y otros, irregulares. Clasifícalos y añade dos más a cada grupo.

REGULARES	Infinitivo	
	Condicional	
IRREGULARES	Infinitivo	
	Condicional	

4 Escribe la terminación que corresponda a cada adjetivo.

-o/a
-e
-a
-or/ora

nervios__   pesimist__   sociabl__   insegur__

miedos__   educad__   tranquil__   valient__   segur__

optimist__   conservad__   complicad__   progresist__

maleducad__   egoíst__   generos__   avar__   tiern__

Ahora marca cuáles te parecen positivos (+) y cuáles, negativos (-).

5 Describe brevemente por escrito a una persona de tu entorno: un miembro de tu familia, un amigo, un compañero de trabajo... Piensa en sus cualidades y en sus defectos.

El profesor recogerá todas las descripciones y las repartirá entre los miembros de la clase.
Imagina que tienes que hacer un viaje con la persona descrita en el papel que te ha tocado.
¿Te llevarías bien con ella? ¿Por qué?

6 Cristina Villasanta está buscando novio y ha escrito al programa de radio "Cita a ciegas". Fíjate en la ficha de Cristina, y completa después las fichas de los dos chicos que llaman al programa. ¿Cuál crees que puede ser el novio ideal para Cristina?

PORTFOLIO

CRISTINA

PROFESIÓN: Profesora de Historia en un colegio.

GUSTOS: Le encanta la cocina italiana. Le divierte ir a discotecas de vez en cuando, pero le pone muy nerviosa la música tecno. No soporta a los hombres machistas ni a los maniáticos, y le dan miedo las relaciones largas. Le interesan la Historia y la Literatura.

COSTUMBRES: Pasa mucho tiempo en casa con sus perros y sale sobre todo los fines de semana.

AFICIONES: Tiene dos perros en casa. Pasa las vacaciones en su apartamento de la playa. Va al gimnasio de vez en cuando.

MANÍAS: Se muerde las uñas y nunca se pone falda.

JULIO

PROFESIÓN: _____
GUSTOS: _____
AFICIONES: _____
_____
MANÍAS: _____
_____

MARCOS

PROFESIÓN: _____
GUSTOS: _____
AFICIONES: _____
_____
MANÍAS: _____
_____

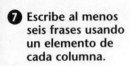
7 Escribe al menos seis frases usando un elemento de cada columna.

A Sofía y a María	me	dan miedo	salir solas de noche.
A Ramón	te	cae muy mal	las películas de terror.
¿A ti	le	interesan	los ordenadores?
Pues a mí	nos	emociona	la gente que no es sincera.
A Carmen y a mí	os	pone nerviosas	el flamenco.
¿A José y a ti	les	indignan	las personas insolidarias.
		preocupa	el problema del terrorismo.
		divierten	Pablo?

1. _____   5. _____

2. _____   6. _____

3. _____   7. _____

4. _____   8. _____

¿Y a ti? ¿Y a la gente que conoces? Las imágenes te sugerirán temas.

a mi mejor amigo y a mí
a mi madre
a mi compañero/a
a mi vecino/a
a mis compañeros de clase
a mi jefe y a mí
a mi marido / mujer y a mí

8 Expresa tus gustos: elige un elemento de cada caja y haz mímica hasta que tus compañeros descubran lo que quieres decir y formulen una frase correcta.

• ¿Te encanta el ballet?

dar risa	dar pena	poner nervioso	encantar
indignar	molestar	no soportar	divertir	odiar
emocionar	preocupar	dar igual	caer bien / mal

los extraterrestres	el ballet	el Papa
los recién nacidos	los machos latinos	estar enfermo
comer carne	la telebasura	la Navidad
el cine de Spielberg	los toros	los dentistas
bailar salsa	dejar propinas	viajar en avión

9 Escucha estos diálogos y señala de qué están hablando.

1. ☐ las arañas
   ☐ una película

2. ☐ un examen
   ☐ los atascos de tráfico

3. ☐ una persona
   ☐ un libro

4. ☐ limpiar la casa
   ☐ los ordenadores

5. ☐ unos niños
   ☐ un programa de televisión

6. ☐ las novelas policíacas
   ☐ la política

10 Fíjate en estos sustantivos. ¿Cuál es el adjetivo correspondiente?

ADJETIVO	SUSTANTIVO	ADJETIVO	SUSTANTIVO
alegre	la alegría	_____	la bondad
_____	el egoísmo	_____	la belleza
_____	la honestidad	_____	la estupidez
_____	la inteligencia	_____	la seriedad

Y ahora, al revés: escribe el sustantivo que corresponde a cada adjetivo.

ADJETIVO	SUSTANTIVO	ADJETIVO	SUSTANTIVO
pedante	la pedantería	sincero/a	_____
hipócrita	_____	fiel	_____
superficial	_____	tierno/a	_____
generoso/a	_____	dulce	_____

Ahora puedes completar este texto.

Muchos sustantivos derivados de adjetivos terminan en -_____,

como _____. También hay algunos que terminan en -_____,

como _____, en -_____, como _____,

o en -_____, como _____. Otros, como _____,

tienen una terminación especial.

11 ¿Cuáles son tus tres principales virtudes? ¿Y tus tres peores defectos? Escríbelos.

VIRTUDES

– La sinceridad: soy bastante sincero.

DEFECTOS

– La vagancia: soy un poco vago.

gente que se conoce

12 Cuál es tu animal preferido? Escribe cuáles son las características que te han hecho elegirlo. ¿Y tu segundo animal preferido? ¿Y el tercero?

Animal 1: _____ porque _____
Animal 2: _____ porque _____
Animal 3: _____ porque _____

13 En parejas, preguntaos qué animales habéis elegido en primer lugar, en segundo y en tercero y por qué. Mirad ahora la nota a pie de página.

14 Escucha estas frases. ¿Cuál de las dos réplicas es posible?

1. a. A mí también, especialmente cuando estoy viendo la televisión en casa.
   b. Yo también, porque no tengo moto.

2. a. A mí sí, me parece que no es tan horrible.
   b. Yo tampoco y, además… ¡es carísimo!

3. a. Yo tampoco, me cae muy mal.
   b. Yo también: es muy agradable.

4. a. Pues a mí la verdad es que me encantan, sobre todo la Navidad.
   b. A mí no, son muy pesadas.

5. a. Yo sí, especialmente si está lloviendo.
   b. Pues a mí no porque de noche hay menos tráfico.

6. a. A mí también. Creo que es el mejor género de cine.
   b. A mí tampoco. ¡Es un género que aborrezco!

15 Escucha ahora estas otras opiniones. ¿Cómo reaccionarías? Escríbelo.

1. _____   3. _____

2. _____   4. _____

16 Una revista infantil ha publicado los datos de estos seis niños que han escrito a la revista. Encuentra qué cosas tienen en común: debes formular las frases con **el mismo, la misma, los mismos, las mismas** o **lo mismo.**

> Óscar y Juan tienen la misma edad. / Juan tiene la misma edad que Óscar.

ÓSCAR:
12 años. Se levanta a las 8. Va al Colegio Público Manuel de Falla. Le gusta coleccionar sellos y el baloncesto. Tiene un perro. Lee *El pequeño País* los domingos. Su grupo favorito es Ciempiés. En vacaciones va a Benidorm con sus padres y abuelos. Vive en Madrid.

CLARA:
10 años. Vive con sus abuelos. Va al colegio Manuel de Falla. Su comida preferida es el helado de fresa y nata. Le gusta ir a nadar los sábados a la piscina. Colecciona coches e insectos. De mayor quiere ser entomóloga. Su afición favorita es ver los dibujos animados en la tele.

MIREIA:
11 años. Vive en Madrid y va al colegio de las Concepcionistas. Tiene una colección de sellos. Tres días a la semana juega al baloncesto con el equipo del colegio. También colecciona mariposas. En verano va al pueblo de sus abuelos en Guadalajara.

VANESSA:
9 años. Estudia en Las Concepcionistas. Se levanta a las siete y media. Los sábados va a nadar a la piscina. Le gusta hacer excursiones y montar en bici. Su cantante favorita es Mónica Limón. Se acuesta muy pronto, a las diez. Le encantan las películas de Walt Disney.

RAMÓN:
9 años. Va al Colegio de los Maristas. Su padre trabaja en la Caja de Ahorros. Tiene dos gatos y una tortuga. Le encanta leer *El pequeño País* el domingo. Sus películas favoritas son las de Walt Disney (las tiene todas). Vive en Zaragoza con sus padres.

JUAN:
12 años. Va al colegio de los Maristas de Zaragoza. Se levanta a las siete y media. Es un fan de Mónica Limón. Pasa los veranos en Benidorm, donde sus padres, que trabajan en la Caja de Ahorros, tienen una casa. Le encanta comer helados y ver dibujos animados en la tele.

¿Sabías que cada animal tiene un significado diferente? **Animal 1:** Cómo te gustaría ser. **Animal 2:** Cómo te ven los demás. **Animal 3:** Cómo eres en realidad.

17 ¿A qué tipo de pregunta corresponde cada una de estas respuestas?

| ¿Qué? | ¿Cuál? | ¿Con quién? | ¿Desde dónde? | ¿Por qué? | ¿Desde cuándo? |

_____ 1. Porque quiero aprender.
_____ 2. Desde hace dos horas.
_____ 3. Una cerveza.
_____ 4. La roja, por favor.
_____ 5. Con un amigo, creo.
_____ 6. Desde por la mañana.
_____ 7. Por amor.

_____ 8. Desde una gasolinera.
_____ 9. Desde aquí, ¿no?
_____ 10. Con Luis y Cristina.
_____ 11. La que a ti no te gusta.
_____ 12. Porque no lo sé.
_____ 13. Desde esta ventana.
_____ 14. Ese de ahí.

_____ 15. Pues ya hará dos años.
_____ 16. Creo que con nadie.
_____ 17. Desde hoy mismo.
_____ 18. Un café, gracias.
_____ 19. El mismo que tú.
_____ 20. Porque me gusta más.
_____ 21. Unos zapatos rojos.

Ahora haz tú una pregunta para cada una de estas respuestas.

1. ¿_____?
   De un amigo mío al que le gusta mucho la música.

2. ¿_____?
   Pues la verdad es que me gustan todos los tipos de cine.

3. ¿_____?
   Con mis padres, ¿y tú?

4. ¿_____?
   A las diez o diez y media, depende.

5. ¿_____?
   Para tener algo de dinero y poder irme de vacaciones este verano.

6. ¿_____?
   Desde que tengo 23 años.

7. ¿_____?
   El verde de cuadros no está mal.

8. ¿_____?
   Creo que de la plaza Mayor.

18 En la entrevista con la famosísima actriz Ana Beatriz Pereda, se han perdido las preguntas. ¿Puedes escribirlas tú?

_____
– Pues este verano hago una película en Italia y después trabajaré en una telenovela en Venezuela.

_____
– A los quince años, en una obra de teatro, en el colegio.

_____
– ¡Uf! Es muy difícil contestar a esa pregunta. Supongo que sí, pero no lo sé.

_____
– El verde. Siempre me ha gustado ese color.

_____
– Con muchos, por ejemplo, con Alejandro Arrieta: he visto su última película y me ha parecido muy buena.

_____
– El pop español de los últimos años y algunos grupos clásicos como Genesis o Supertramp. Y el blues, me encanta escuchar blues.

_____
– Pues ropa cómoda, pantalones vaqueros y camisetas de algodón.

_____
– Con mi madre, siempre con mi madre, que me acompaña a todas partes.

_____
– Mira, lo siento, pero a esa pregunta prefiero no contestar.

gente que se conoce

19 En parejas A y B. Vais a leer cada uno un texto sobre la vida de la actriz Ana Beatriz Pereda, pero en cada uno falta parte de la información. Haz a tu compañero las preguntas necesarias para poder completar toda la información.

ALUMNO A

Nació en Burgo de Alacant, en_____. Debutó en el teatro con 16 años en Madrid y pasó a formar parte de la Compañía Nacional de Teatro. En 1970 hizo su primera película con _____, *Los amantes del Viaducto*, y recibió en _____ el premio a la mejor actriz revelación. Después interpretó el papel principal de muchas películas, con mayor o menor éxito, entre las que destacan *Romance en Barcelona* y *Viaje al Sur*. Durante el rodaje de esta última conoció al actor Lolo Mas, con quien se casó en 1978. Pero el matrimonio duró poco y dos años después _____. Desde entonces fueron numerosos los romances en su vida, el más destacado, sin duda, con el torero Ignacio Montes. En 1990, yendo con el torero en coche hacia San Sebastián, la policía detuvo a ambos por _____. Pasó seis meses en la cárcel, donde escribió _____. Hoy es una de las actrices más reputadas de nuestro país y desde 1997 vive en _____.

ALUMNO B

Nació en _____, en 1950. Debutó en el teatro con _____ años en Madrid y pasó a formar parte de la Compañía Nacional de Teatro. En 1970 hizo su primera película con Javier Odriolaza, _____, y recibió en el festival de Cannes el premio a la mejor actriz revelación. Después interpretó el papel principal de muchas películas, con mayor o menor éxito, entre las que destacan *Romance en Barcelona* y *Viaje al Sur*. Durante el rodaje de esta última conoció a _____, con quien se casó en 1978. Pero el matrimonio duró poco y dos años después se divorciaron. Desde entonces fueron numerosos los romances en su vida, el más destacado, sin duda, con _____. En 1990, yendo con el torero en coche hacia San Sebastián, la policía detuvo a ambos por posesión de cocaína. Pasó _____ meses en la cárcel, donde escribió sus memorias. Hoy es una de las actrices más reputadas de nuestro país y desde _____ vive en Marbella.

20 Imagina que hace meses que no ves a una amiga. Lo único que sabes es que ha tenido un novio durante este tiempo, pero que al final se separaron. Un día quedáis para charlar. ¿Qué preguntas puedes hacerle para obtener información sobre esa relación? Aquí tienes algunas ideas, escribe tú otras preguntas.

> ¿Cómo se llamaba?
> ¿Dónde lo conociste?
> ¿Cómo era físicamente?
> ...

21 ¿ Qué problemas tiene la ciudad en la que vives? Escribe diez cosas que cambiarías para convertirla en una ciudad mejor. Usa el Condicional.

> Mejoraría el sistema de transportes...

22 Piensa en ocho cosas que te gustaría saber sobre la infancia de tus compañeros de clase. Escríbelo.

> Me gustaría saber si Ian de pequeño sacaba buenas notas.

23 Relee los textos de "Gente creativa" de las página 18 y 19 del *Libro del alumno*.
Busca ahora información sobre un personaje de tu país que sea famoso por haber creado algo y escribe un párrafo sobre él. En clase se lo leerás a tus compañeros: ¿alguien puede descubrir de quién se trata?

Así puedes aprender mejor

24 Una agencia que aloja extranjeros en familias españolas te pide que rellenes esta ficha con tus datos.

NOMBRE: _____

EDAD: _____ ESTADO CIVIL: _____

COLOR DE OJOS: _____ COLOR DE PELO: _____

ESTATURA: _____ PESO: _____

GUSTOS: _____

AFICIONES: _____

OBSERVACIONES: _____

25 Aquí tienes la foto antigua de la familia Encabo. Vas a pasar dos meses en su casa. Escribe todos los datos de la ficha en forma de carta para los Encabo. Pero, antes de escribir, tienes que decidir:

– en qué orden vas a dar la información,
– qué tono es el más adecuado,
– qué otras cosas crees que debes contar,
– qué te interesa saber de la familia para preguntárselo en la carta.

Para escribir, te ayudará...
- tener en cuenta quiénes van a ser los lectores y qué relación tienes con ellos,
- planificar el texto, hacer un guión de lo que vas a decir,
- releer los fragmentos escritos y revisar modificando cosas,
- buscar ayuda en gramáticas, en diccionarios, o en textos parecidos al que quieres escribir,
- ver las tareas de escritura como una manera excelente de aprender más lengua y fijar tus conocimientos.

gente que se conoce

Autoevaluación

Te será muy útil escribir tus impresiones tras cada unidad.
Puedes hacerlo tratando de responder a las siguientes preguntas.

¿Qué palabras de esta unidad quiero recordar?
¿Qué estructuras gramaticales me parecen más útiles?
¿Qué problemas he tenido?
¿Qué tipo de actividad me ha gustado más o me ha sido de mayor ayuda?
¿Cuál no me ha gustado? ¿Por qué?
¿Qué puedo hacer para mejorar mi español hablado / escrito?

gente y comunicación

1 **¿Con cuál de estos estudiantes te identificas más? Subraya todo lo que tengas en común con ellos.**

Muy Sres. míos:

Me dirijo a ustedes para solicitar información sobre sus cursos de español para extranjeros. Mi nivel actual de gramática es bueno pero necesito mucha práctica de la lengua oral. Necesito el español en mi trabajo, porque muy frecuentemente tengo que participar en reuniones en español y hablar con colegas hispanohablantes. También necesito leer documentos y publicaciones científicas.

Les ruego que tengan la amabilidad de enviarme información sobre los diferentes tipos de cursos, horarios y precios.

Un cordial saludo,

Klaus Wienberg

<< Sandra Bianconcini >>

BIN HEX ✓ QP   ▯   ✓ ⊞   ✓ →| ✓ ▭   ✓ ℋ   **Enviar**

Asunto: clases
Fecha: 19/09
De: sandra@cigronet.com
Para: cursos@escuelarte.es

Muy Sres. míos:

Me dirijo a ustedes porque deseo matricularme en un curso de español. He asistido un año a clases de este idioma pero mi nivel es de principiante. Estoy especialmente interesada en cursos con mucho trabajo gramatical y traducción. También necesito escribir en español para mis estudios.

Les agradeceré que me envíen toda la información sobre los cursos que ustedes imparten.

Atentamente.
Sandra Bianconcini

Busco a alguien para hacer un intercambio español-inglés. He estudiado mucha gramática en la escuela secundaria pero tengo muchos problemas para entender a los nativos y para participar en una conversación.

También tengo bastantes problemas de pronunciación. Me encantan los idiomas y el año próximo quiero viajar por Latinoamérica. Por eso quiero mejorar bastante rápidamente mi español. ¿Quieres que te ayuden con tu inglés?

¡LLÁMAME! John. Tel. 93 221 86 66

Se busca

Tel. 912 351 475

2 **Ahora trata de escribir tú un texto similar con tu perfil, deseos y necesidades.**

gente y comunicación

3 Completa estas valoraciones de experiencias pasadas tachando lo que no corresponde (**fue** o **fueron**) y respondiendo a las preguntas.

¿En qué país? ¿Cuándo? ¿Qué es lo que más te gustó? ¿Por qué razón?
Estuve en ⬚Marruecos⬚ el año pasado. Lo que más me gustó fue / fueron ⬚la gente. Los marroquíes son muy agradables.⬚

¿En qué país? ¿Cuándo? ¿Qué es lo que más te gustó? ¿Por qué razón?
Estuve en_____,_____. Lo que más me gustó fue / fueron _____

¿Qué materia? ¿Dónde? ¿Qué es lo que más te gustó? ¿Por qué razón?
Estudié _____ en _____. Lo que más me gustó fue / fueron _____

¿Qué ciudad? ¿Cuándo? ¿Qué es lo que más te gustó? ¿Por qué razón?
Visité _____

¿Qué película? ¿Cuándo? ¿Qué es lo que más te gustó? ¿Por qué razón?
Vi _____

4 Hay cosas que se aprenden practicando. Por ejemplo...

Se aprende a nadar... ⬚nadando.⬚   Se aprende a hablar...

Se aprende a esquiar...   Se aprende a andar...

Se aprende a conducir...   Se aprende a ir en bici...

Se aprende a bailar...   Se aprende a tocar el piano...

Se aprende a traducir...   Y se aprende el Gerundio...

5 Responde a estas preguntas usando Gerundio o la forma **sin** + Infinitivo. Puede haber varias respuestas.

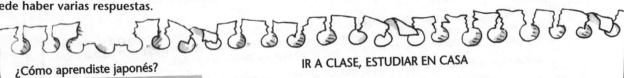

¿Cómo aprendiste japonés?
⬚Sin ir a clase, estudiando en casa.⬚   IR A CLASE, ESTUDIAR EN CASA

¿Cómo aprendiste fotografía?
_____   HACER MUCHAS FOTOS, HABLAR CON FOTÓGRAFOS

¿Cómo encontraste este piso tan bonito?
_____   PASEAR POR LA CIUDAD, IR A AGENCIAS

¿Cómo regresaste a casa el otro día?
_____   ANDAR, PASEAR POR EL PARQUE

¿Cómo aprendiste italiano?
_____   IR A ITALIA, VIVIR CON UN ITALIANO

¿Cómo has conseguido un acento tan bueno?
_____   HABLAR CON NATIVOS, ESCUCHAR CANCIONES

¿Cómo has traducido este texto?
_____   MIRAR EN EL DICCIONARIO, TRADUCIR PALABRA POR PALABRA

¿Cómo aprendiste a tocar la guitarra?
_____   ESTUDIAR SOLFEO, TOCAR DE OÍDO

6 ¿Cómo valoras tú estas cosas?

Los periódicos deportivos
La música africana
Las reuniones familiares
Los viajes organizados
Los viajes de trabajo
Estudiar latín
Leer
Escribir
La televisión
Viajar solo/a
Trabajar en equipo
Los discursos de los políticos
Las costumbres de otras culturas

(no) me parece/n

(nada)
bastante
demasiado
muy

horrible/s.
(in)útil/es.
aburrido/a/os/as.
pesado/a/os/as.
interesante/s.
insoportable/s.
importante/s.
divertido/a/os/as.
(in)necesario/a/os/as.
complicado/a/os/as.

> Trabajar en equipo me parece muy interesante, pero también bastante difícil.

7 Escucha la grabación. Juan habla de su trabajo. ¿Cómo valora estos aspectos de su actividad profesional? Para responder puedes usar **le parece/n**, **le resulta/n**, **le cuesta/n**.

¿QUÉ OPINA JUAN DE...
las empresas grandes?
trabajar en equipo?
las reuniones largas?
los viajes?
conocer cosas nuevas?
comunicarse?
hacer cada día lo mismo?

8 Piensa en cosas que te producen estos sentimientos y sensaciones. Usa la forma adecuada (singular/plural).

Me resulta/n pesado/a/os/as _____

Me cuesta/n _____

Me canso de _____

Me da/n miedo _____

Me hago un lío con _____

No me acuerdo nunca de _____

9 Completa este texto con los pronombres adecuados.

Mis alumnos del año pasado eran todos muy diferentes; por ejemplo, a John _____ daba mucho miedo hablar en público y _____ hacía siempre un lío con los géneros y los tiempos del pasado, en cambio, Fabien no _____ daba cuenta de que hablaba demasiado y de que no dejaba hablar a los demás. A Uwe, _____ parecía más fácil leer que hablar y no lo entiendo porque a mí, leer en alemán _____ resulta bastante difícil y _____ canso enseguida. A Martha _____ resultaba divertido traducir, seguramente porque _____ gusta mucho la literatura.

A nosotros los profesores, en general, el trabajo en grupo _____ parece muy interesante. Pero a veces _____ da miedo preguntar cuestiones personales a los alumnos.

¿Y a vosotros, qué _____ parece más útil? ¿Qué _____ resulta más pesado?

2 EJERCICIOS

gente y comunicación

10 Completa las frases expresando tus propias opiniones sobre las clases de español que has tenido hasta ahora.

Lo más útil...	Lo más aburrido...	Lo más difícil...	Lo más interesante...	Lo más divertido...

11 Oirás 8 preguntas. ¿Cuál de estas podría ser una respuesta adecuada?

En la treinta y dos, al principio.

En francés es "chanson".

No, lo correcto es "estoy contento".

No, hay una falta...

1 No, no lleva hache.

En la tercera línea del segundo párrafo.

Es un plato típico español, una sopa fría de verduras que se toma mucho en verano. No tiene traducción.

No, con be no, con uve doble.

12 Todas estas frases tienen que ver con el aprendizaje, con las lenguas y con la comunicación humana. Complétalas con las siguientes palabras y expresiones.

oyes	de habla española	traducir	entender	escuchar	gestos	conversación
tomar la palabra	cometer errores	reglas	significado	perfeccionar	lenguas extranjeras	voz
de memoria	hacer ejercicios	consultar el diccionario	en voz alta	problemas con	oigo	

1. Canta muy bien. Tiene una _____ muy bonita.

2. No entiendo bien el _____ de esta palabra, "chulo". ¿Es lo mismo que "pedante"?

3. La profesora nos hace leer cada día un texto _____. Y luego nos hace preguntas.

4. Marina habla poco porque tiene miedo de _____. Es una tontería. solo hablando puede progresar.

5. El otro día, después de la clase, nos quedamos tomando un café. Tuvimos una _____ muy interesante sobre el amor y las parejas.

6. Yo, cuando no entiendo una palabra, primero intento descubrir el significado, sin _____.

7. Me encanta aprender _____ canciones y poemas.

8. Tengo _____ las erres españolas. No me salen.

9. Habla bien, tiene mucho vocabulario pero quiere _____ su pronunciación.

10. En mi país, en la escuela se estudian por lo menos dos _____: inglés y francés o inglés y español a partir de los diez años.

11. El funcionamiento de los verbos tiene _____ bastante parecidas en todas las lenguas latinas.

12. A mí me va muy bien _____ CD en el coche o en casa. Cuando puedo, también _____ la radio y veo programas de países _____.

13. Cuando hablan, los latinos hacen muchos más _____ que otros pueblos, como los escandinavos, por ejemplo.

17. Es demasiado tímido: le cuesta mucho _____ cuando hay mucha gente.

18. ¿No _____ el teléfono? Hace rato que suena.

13 En el aula utilizamos
una serie de expresiones
para comunicarnos y para
hablar de la propia lengua.

Fíjate en la libreta de Vivianne
que ha ido preparando
una ficha con las expresiones
que ella considera
más útiles.

EL ESPAÑOL EN EL AULA

→ ¿En qué página está ese? ¿En qué ejercicio
(párrafo / columna / línea)?

→ ¿Qué significa esta palabra / frase / expresión?

→ ¿Es correcto decir "soy soltero"?

→ ¿Cómo has dicho, "Valencia" o "Palencia"?
¿Con uve o con pe?

→ ¿"Vigo" se escribe con uve de "Valencia"
o con be de "Barcelona"?

→ Por favor, ¿puedes repetir eso que has dicho?
No lo he entendido bien.

→ ¿Puedes escribirlo en la pizarra / traducirlo?

→ Eso que ha dicho Margit me parece
muy importante.

→ ¿Profesor, por favor, puede ...

¿Por qué no te haces tu propia ficha
con las expresiones que necesitas?
Para empezar, puedes seleccionar
de entre las siguientes aquellas
que no conoces:

– ¿En qué página está eso? ¿En qué ejercicio (párrafo/columna/línea)?

– ¿Qué significa esta palabra / frase / expresión?

– ¿Es correcto decir "soy soltero"?

– ¿Cómo has dicho, "Valencia" o "Palencia"? ¿Con uve o con pe?

– ¿"Vigo" se escribe con uve de "Valencia" o con be de "Barcelona?"

– Por favor, ¿puedes repetir eso que has dicho? No lo he entendido bien.

– ¿Puedes escribirlo en la pizarra / traducirlo?

– Eso que ha dicho Margit me parece muy importante.

...

Cuando una de estas expresiones ya la tengas asimilada, puedes eliminarla.
Cuando surjan en la clase nuevas necesidades de expresión, el profesor te dirá
cómo se formulan en español y así tendrás nuevas entradas para tu ficha,
que se irá renovando continuamente.

gente y comunicación

14 En grupos, leed estas opiniones sobre el aprendizaje de lenguas y señalad cuál sería vuestra reacción: A, B o C. Vamos a ver si es posible ponernos de acuerdo.

1) Es muy importante aprender bien la gramática de una lengua. Sin la gramática no puedes hablar.

☐ a) Estoy completamente de acuerdo.

☐ b) Bueno, creo que es verdad, pero la gramática no es lo único importante.

☐ c) Me parece que no tiene razón. Puedes aprender a hablar sin gramática, como los niños.

2) El profesor tiene que corregir todos los errores que hago hablando.

☐ a) Es verdad. Si no me corrigen todos los errores, los repito y no aprendo.

☐ b) A veces sí, pero no siempre. Solo cuando es necesario.

☐ c) No estoy de acuerdo en absoluto: si me corrigen mucho pienso que hablo mal, y entonces me callo.

3) Para practicar en clase, lo más importante es hablar y hablar.

☐ a) Totalmente cierto. Hablar en parejas, en grupos o con el profesor.

☐ b) Hablar y escribir. Las dos cosas son igual de importantes.

☐ c) No, qué va. Lo más útil es hacer ejercicios de verbos, concordancia, etc.

4) Si el profesor sabe mi idioma, me puede ayudar mucho mejor.

☐ a) Sí, es verdad, estoy de acuerdo.

☐ b) A veces sí, para traducir una palabra o explicar cosas, pero en general no es imprescindible.

☐ c) ¿Mi idioma? ¿Para qué? Esto es una clase de español, ¿no?

5) Es muy importante estudiar por mi cuenta y hacer siempre los deberes en casa.

☐ a) Claro. Si no trabajas en casa, nunca avanzas.

☐ b) Bueno, siempre no, pero en general, sí, estoy de acuerdo.

☐ c) Lo siento, pero no tiene razón. Es suficiente ir a clase casi todos los días.

Señalad ahora qué fórmulas hay en el texto para expresar acuerdo y desacuerdo.

ACUERDO:

DESACUERDO:

15 Lee las siguientes frases y escribe tu opinión sobre ellas.

1. Enrique Iglesias es el mejor cantante del mundo.
2. El dinero es mucho más importante que la salud o el amor.
3. Los españoles hablan muy despacio y es muy fácil entenderlos.
4. Las mejores vacaciones son las que pasas con la familia.
5. La comida de tu país es mil veces mejor que la española.

Así puedes aprender mejor

16 ¿Qué te sugieren estas palabras?

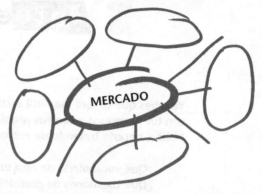

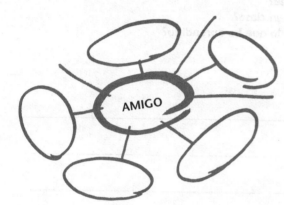

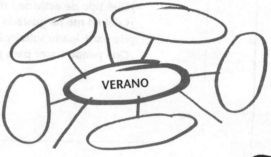

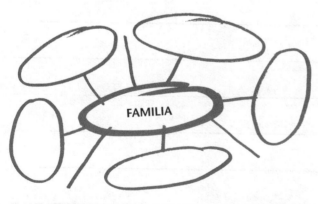

Compara tus resultados con los de uno o varios compañeros. ¿Coincidís mucho? ¿Qué conclusiones podéis sacar sobre la cultura y el significado de las palabras? Apunta aquí algunas de tus ideas.

_____

_____

_____

_____

Cuando un español dice "pan", por ejemplo, no dice exactamente lo mismo que un alemán cuando dice "Brot" o un francés cuando dice "pain". Cada sociedad da a las cosas valores diferentes, las utiliza de modos y en situaciones distintas. Por eso, las palabras con las que nos referimos a las cosas están llenas de connotaciones culturales. Así pues, las equivalencias y las descripciones de las palabras que nos dan los diccionarios son muy útiles para los estudiantes de lenguas extranjeras, pero a veces insuficientes: para poder decir que "hemos aprendido" una palabra, además de saber cómo y cuándo se usa, debemos poder reconocer las referencias culturales que posee.

gente y comunicación

Autoevaluación

Ya sabes que te será muy útil escribir una especie de diario de aprendizaje, con tus progresos y con tus problemas tras cada unidad.
Puedes hacerlo tratando de responder a las siguientes preguntas.

¿Qué vocabulario de esta unidad me será más útil?
¿Qué cuestiones de gramática me han parecido más complicadas?
¿Qué tipo de actividad me ha sido de mayor ayuda?
¿Cuál no me ha gustado? ¿Por qué?
¿He participado suficientemente en clase?
¿Qué puedo hacer para practicar lo que he aprendido?

gente que lo pasa bien

1 Vuelve a escuchar las grabaciones de la página **29** del *Libro del alumno*. Completa luego estos textos, que son muy parecidos, con tus propios gustos y hábitos.

A mí la música que de verdad me gusta es _____. _____, especialmente. Voy bastante a menudo a _____.

A mí lo que me va _____. Sobre todo si hay _____.

Yo siempre que hay un/una _____ voy a verlo/a. No me pierdo ninguno/a. Me gusta mucho el/la _____.

Los sábados por la noche no hay nada como _____ y luego ejemplo, _____. El sábado próximo, por

A mí lo que realmente me gusta es _____ con _____.

2 Escucha lo que dicen estas personas y anota de qué están hablando.

☐ un concierto de rock   ☐ un concierto de música clásica   ☐ una fiesta   ☐ un museo

☐ una película   ☐ un restaurante   ☐ una discoteca   ☐ un partido de fútbol

Vuelve a escuchar la grabación y escribe las palabras que te han ayudado a descubrir de qué están hablando.

1. _____   5. _____

2. _____   6. _____

3. _____   7. _____

4. _____   8. _____

¿Lo pasaron bien? ¿Por qué?

El primero no lo pasó bien porque no conocía a nadie y la música era muy mala...

3 **¿Con qué frecuencia haces estas cosas?** Usa expresiones de frecuencia como **todos los días, los sábados, normalmente, a veces, casi nunca, nunca,** etc.

– ir a exposiciones de arte
– ir a los toros
– ir al fútbol
– ir a la ópera
– ir a ver un espectáculo de ballet
– ir a esquiar
– ir a caminar por la montaña

– ir al casino a jugar
– ir a correr
– pasear por la playa
– visitar a tus padres
– ver las noticias de la tele
– nadar
– cocinar para amigos

– jugar a las cartas
– quedar con amigos
– viajar en globo
– quedarte tranquilamente en tu casa un domingo por la tarde
– salir a cenar a un buen restaurante

> Casi nunca voy a exposiciones de arte, solo cuando son de arqueología, que es un tema que me encanta.

¿Cuándo hiciste esas cosas por última vez? Valora la experiencia.

> La última vez que fui a una exposición era sobre los celtas. Me encantó.

4 Una revista española recomienda estas cinco actividades para este mes.

FERIA DEL LIBRO

CINE DE MUJERES

FINAL DE LA COPA DEL REY DE FÚTBOL

FIESTA DE LA ENERGÍA SOLAR

MARATÓN DE TEATRO

Pero antes de leer los textos, ¿en qué apartado crees que van a aparecer las siguientes palabras?

editoriales	escenarios	ecologista	películas	realizadoras	solidaria	se movilizará
representaciones	autores	familia real	compañías	autógrafos	deporte	

Lee ahora los textos. Relaciona cada uno con su título y comprueba si tus decisiones sobre el vocabulario han sido correctas.

Barcelona presenta una nueva edición de la Muestra Internacional de Filmes de Mujeres que, durante una semana, exhibirá películas de realizadoras femeninas. Películas que, pese a su calidad, no han sido estrenadas por diferentes motivos. Variedad, creatividad y sorpresas en la Filmoteca.

El Mercat de les Flors de Barcelona se convierte por cuarta vez en el gran escaparate de la joven creación escénica. Durante 24 horas seguidas, todos los rincones del recinto se transforman en escenarios. Un acontecimiento único en Europa que acoge cada año a miles de asistentes que desean ver las representaciones más creativas de todo tipo de compañías.

Greenpeace celebra este día combinando la fiesta con la conciencia solidaria. El grupo ecologista se movilizará en la capital para dar a conocer una vez más las posibilidades del Sol como fuente de energía alternativa y limpia.

El único deporte capaz de provocar guerras televisivas reúne al Barça y al Valencia en la gran final de esta competición, celebrada con algo de retraso tras una liga eterna. El duelo Ronaldinho / Aimar y la presencia de la familia real añaden espectáculo al acontecimiento.

Madrid es este mes la capital de la literatura española. En el Parque del Retiro, librerías, editoriales y asociaciones de escritores acuden a la cita anual con el público. Una ocasión ideal para conocer las novedades y comprar un ejemplar con dedicatoria del autor incluida. Visita obligada para los coleccionistas de autógrafos.

5 Probablemente estas palabras son nuevas para ti. Búscalas en los textos anteriores y escribe lo que crees que significan según el contexto en el que aparecen. Después puedes comprobar en el diccionario si tus intuiciones eran correctas.

Dedicatorias: _____

Recinto: _____

Pese a: _____

Dar a conocer: _____

6 En este crucigrama puedes encontrar los nombres de ocho géneros cinematográficos.

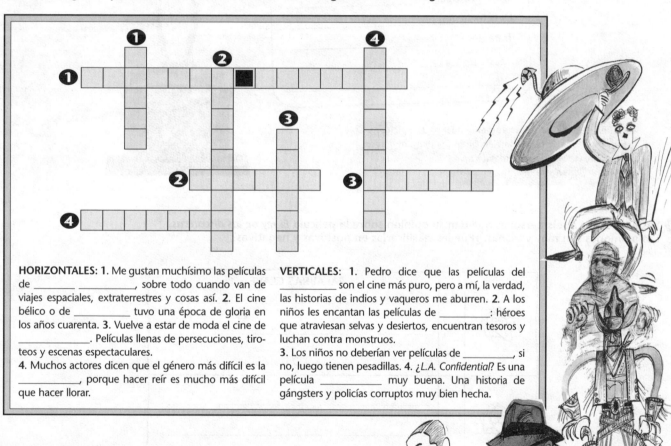

HORIZONTALES: 1. Me gustan muchísimo las películas de _____ _____, sobre todo cuando van de viajes espaciales, extraterrestres y cosas así. **2.** El cine bélico o de _____ tuvo una época de gloria en los años cuarenta. **3.** Vuelve a estar de moda el cine de _____. Películas llenas de persecuciones, tiroteos y escenas espectaculares.
4. Muchos actores dicen que el género más difícil es la _____, porque hacer reír es mucho más difícil que hacer llorar.

VERTICALES: 1. Pedro dice que las películas del _____ son el cine más puro, pero a mí, la verdad, las historias de indios y vaqueros me aburren. **2.** A los niños les encantan las películas de _____: héroes que atraviesan selvas y desiertos, encuentran tesoros y luchan contra monstruos.
3. Los niños no deberían ver películas de _____, si no, luego tienen pesadillas. **4.** ¿*L.A. Confidential*? Es una película _____ muy buena. Una historia de gángsters y policías corruptos muy bien hecha.

7 Escribe en español el título de una película de cada uno de los géneros del ejercicio anterior. No importa si no sabes el título original en español: puedes traducirlo de tu lengua.

gente que lo pasa bien

8 Vamos a hacer un concurso sobre las películas de tu vida. Rellena estas
dos fichas sobre dos de tus películas favoritas. En clase vas a leérselas
a tus compañeros. A ver quién recuerda los títulos.

Actriz principal: _____

Actor principal: _____

Director/a: _____

Trata de: _____

_____

_____

Actriz principal: _____

Actor principal: _____

Director/a: _____

Trata de: _____

_____

_____

_____

● Es una película de aventuras muy buena, de Spielberg.
Sale Harrison Ford, y también Sean Connery, que hace
de padre de Harrison Ford. Va de...
○ ¡Indiana Jones y la última cruzada!

9 Vas a escuchar a seis personas que dan su opinión sobre la película *El rey de las discotecas*.
Las opiniones son muy variadas. ¿Puedes clasificarlas en positivas y negativas?

		PALABRAS CLAVE
		_____
		_____
		_____
	1	_____
		_____
		_____

Vuelve a escuchar la audición y anota, en cada caso, las palabras clave
que te han ayudado a saber si la opinión es positiva o negativa.

10 Estos son los programas de mano que se entregan en la entrada de un cine en el que hay un ciclo de cine español. ¿Cuáles te interesan más? Ordénalas de más (1) a menos (4).

BALSEROS ___   TE DOY MIS OJOS ___

DÍAS DE FÚTBOL ___   EL HIJO DE LA NOVIA ___

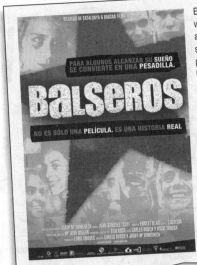

En 1994 un equipo de reporteros de televisión filmó y entrevistó a siete cubanos y a sus familias durante los días previos a su arriesgada aventura de lanzarse al mar para alcanzar la costa de los Estados Unidos huyendo de las dificultades económicas de su país. Algún tiempo después localizaron en el campamento de refugiados de la base norteamericana de Guantánamo a los que habían sido rescatados en alta mar. Sus familias permanecían en Cuba sin noticias de ellos, salvo en el caso de una mujer que había naufragado y que se había visto obligada a volver a la isla. Han pasado siete años, la evolución de los personajes, sus destinos, su vida en los Estados Unidos o su permanencia en Cuba es retratada con detalle, con sensibilidad. La aventura humana de unos náufragos entre dos mundos.

¿Qué es lo que hace que en una familia pueda existir una desagradable violencia? ¿Qué es lo que lleva a dos personas que se quieren tanto, a maltratar y a ser maltratadas?
En una noche de invierno. Pilar huye en zapatillas con su hijo a altas horas de la noche en un Toledo que mira y calla. Antonio, su marido, no tarda en ir a buscarla. Pilar es su sol, dice, y además, "le ha dado sus ojos"... A lo largo de la película, los personajes irán reescribiendo ese libro de familia en el que está escrito quién es quién y qué se espera que haga pero en el que todos los conceptos están equivocados y donde se dice hogar se lee infierno, donde dice amor hay dolor y quien promete protección produce terror...

Jorge tiene treinta años y piensa que su vida no puede empeorar. Su trabajo le deprime y su novia le deja cuando él le pide matrimonio. A sus amigos no les va mejor: Ramón no sabe que le saca más de quicio, si su mujer, o su más que perdida lucha contra la alopecia; Gonzalo lleva tanto tiempo estudiando Derecho como buscando novia; Carlos aspira a ser un gran actor pero no ha pasado de ser secundario en la teletienda; Miguel, policía y padre de familia, sigue soñando con ser cantautor. El único que parece salvarse es Antonio, pero eso no quiere decir mucho teniendo en cuenta que acaba de salir de la cárcel. La brillante solución para cambiar sus vidas es volver a montar el equipo de fútbol que tenían de jóvenes, y por fin ganar algo en su vida, aunque sea un trofeo de fútbol 7.

Rafael Belvedere (Ricardo Darín) no está conforme con la vida que lleva. Nunca tiene tiempo para su gente. No tiene ideales, vive sumido en su trabajo, el restaurante fundado por su padre (Héctor Alterio); carga con un divorcio, no se ha tomado el tiempo suficiente para ver crecer a su hija Vicky, no tiene amigos y prefiere eludir un mayor compromiso con su novia (Natalia Verbeke). Además, hace más de un año que no visita a su madre (Norma Aleandro) que sufre de Mal de Alzheimer y está internada en un geriátrico. Rafael sólo quiere que lo dejen en paz. Pero una serie de acontecimientos inesperados obligará a Rafael a replantearse su situación. Y en el camino, le ofrecerá apoyo a su padre para cumplir el viejo sueño de su madre: casarse por la iglesia.

¿A qué película crees que pueden corresponder estas calificaciones?

irónica	tierna	agridulce	crítica	divertida	ligera	entretenida	dura	descarada
	sin concesiones	delicada	comercial	realista	profunda	llena de sensibilidad		

11 Aquí tienes información gráfica sobre lo que puedes hacer en los Pirineos de Navarra y de Huesca. Escribe al menos diez cosas que crees que se pueden hacer en esta zona.

Se puede ir en bicicleta.

Elige ahora tres cosas que te gustaría hacer y explícalo.

A mí me gustaría dar una vuelta en helicóptero por las montañas.

12 Piensa en la última película, obra de teatro, concierto y programa de tele que has visto y escribe tu opinión.

El último programa que vi en la tele fue anoche: un reportaje sobre las minas antipersonales en el Tercer Mundo. Me pareció muy interesante porque...

13 En esta sopa de letras puedes encontrar los nombres de nueve cosas que puedes ver en la televisión.

```
L A B O R A N U N C I O P
C A S P R E T N N A C I O N
S E S N I E H I D P I R T E
U A Ñ O C L A M O I E E S S
L S A T L D A B E C U U L A
E A G I D A E M A E T T R N
B G D C A R R B E H X X E R
R D I A R N U M S O M U U U
O I   S P U I E S I B E D P N
N   A M L B L I B A R D T I L
```

14 Dos personas hablan por teléfono; quieren quedar esta tarde para ir al cine. Ordena las respuestas de la chica.

15 Fíjate en las respuestas que dan diferentes personas a una propuesta. Imagina cómo fue la propuesta (primera réplica) y la segunda oferta o confirmación (tercera réplica).

1. • ¿Desayunamos juntos mañana a las nueve?
   ○ Las nueve es un poco pronto, ¿no?
   • ¿Y a las nueve y media? Es que más tarde ya no puedo.

2. • _____
   ○ Me gustaría mucho, pero es que ese día tengo una boda.
   • _____

5. • _____
   ○ Me parece muy buena idea, ¿cómo quedamos?
   • _____

3. • _____
   ○ Mejor en otro sitio, ¿no? En ese café hay siempre mucha gente.
   • _____

4. • _____
   ○ Lo siento pero voy a ir con Pablo.
   • _____

16 Valentín quiere invitar a Clara a pasar un fin de semana en San Sebastián. Le está escribiendo un correo electrónico proponiéndole un plan completo para el fin de semana. ¿Puedes ayudarle? Este es el índice de la web de San Sebastián.

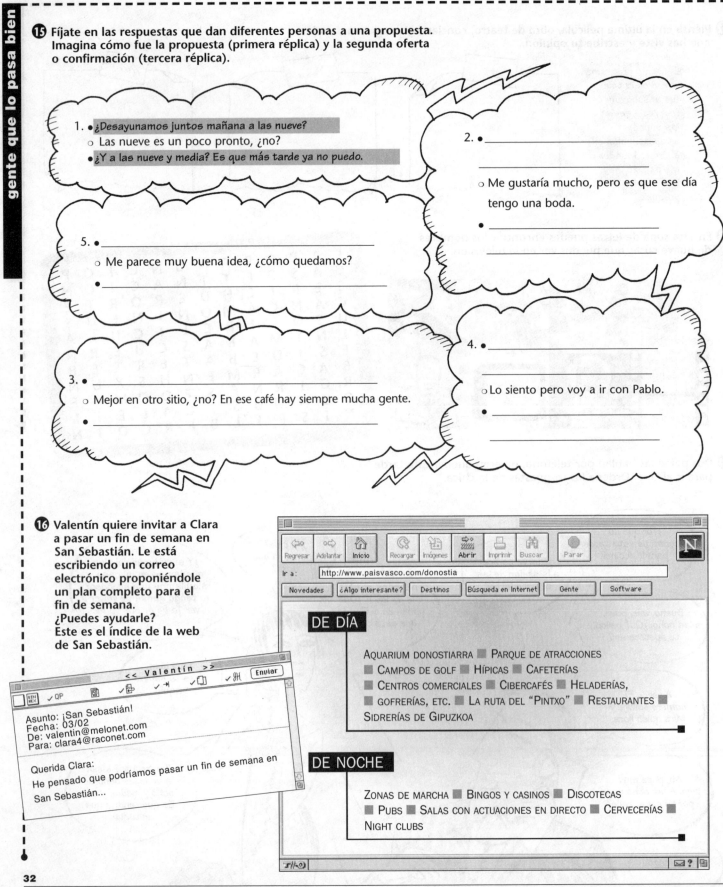

Ir a: http://www.paisvasco.com/donostia

Novedades | ¿Algo interesante? | Destinos | Búsqueda en Internet | Gente | Software

DE DÍA

AQUARIUM DONOSTIARRA ■ PARQUE DE ATRACCIONES ■ CAMPOS DE GOLF ■ HÍPICAS ■ CAFETERÍAS ■ CENTROS COMERCIALES ■ CIBERCAFÉS ■ HELADERÍAS, GOFRERÍAS, ETC. ■ LA RUTA DEL "PINTXO" ■ RESTAURANTES ■ SIDRERÍAS DE GIPUZKOA

DE NOCHE

ZONAS DE MARCHA ■ BINGOS Y CASINOS ■ DISCOTECAS ■ PUBS ■ SALAS CON ACTUACIONES EN DIRECTO ■ CERVECERÍAS ■ NIGHT CLUBS

<< Valentín >> Enviar

Asunto: ¡San Sebastián!
Fecha: 03/02
De: valentin@melonet.com
Para: clara4@raconet.com

Querida Clara:
He pensado que podríamos pasar un fin de semana en San Sebastián...

17 Seguramente tienes algunos lugares preferidos a los que vas a menudo: un bar, una discoteca, un restaurante, un parque... Describe tres o cuatro y explica por qué te gustan.

> Yo voy casi todos los sábados a un pub. Es un sitio tranquilo, con buena música, donde se puede tomar algo y hablar un rato con los amigos.

18 Rellena tu agenda con lo que quieres y lo que tienes que hacer el próximo fin de semana.

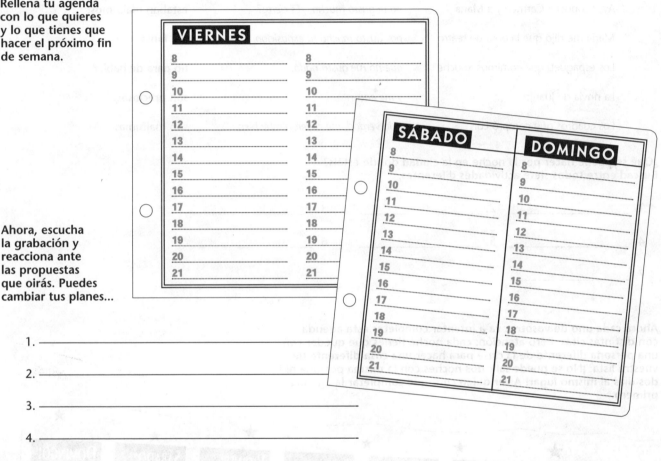

VIERNES

8	8
9	9
10	10
11	11
12	12
13	13
14	14
15	15
16	16
17	17
18	18
19	19
20	20
21	21

SÁBADO / **DOMINGO**

8	8
9	9
10	10
11	11
12	12
13	13
14	14
15	15
16	16
17	17
18	18
19	19
20	20
21	21

Ahora, escucha la grabación y reacciona ante las propuestas que oirás. Puedes cambiar tus planes...

1. _____
2. _____
3. _____
4. _____
5. _____

19 Completa con **es, está** o **hay**.

1. El concierto _____ en el Teatro Olimpia a las diez.
2. La Plaza de Toros _____ muy cerca de mi casa.
3. Creo que la fiesta _____ en casa de María Ángeles. Lo que no recuerdo es en qué calle _____.
4. _____ un concierto muy bueno mañana en el Auditorio Nacional. ¿Te apetece ir conmigo?
5. La película _____ a las cuatro en el cine Rex.
6. Me han dicho que _____ una corrida de toros estupenda el jueves.
7. Hemos quedado en mi casa, que _____ aquí al lado, para tomar un café.
8. ● ¿Sabéis dónde _____ la exposición de Tàpies?
   ○ Sí, en la Galería Rocambole, la que _____ en la calle Almirante.

20 ¿Puedes recomponer estas frases? Son valoraciones sobre personas, cosas y actividades.

Estuve el otro día en el circo	*me cayó francamente mal,*	**A mí sí me gustó.**
Hace unos días vi una película	*me gustaron muchísimo,*	**era aburridísima.**
A mis padres y a mí	*no me gustaron nada de nada,*	**es preciosa.**
Ayer conocí a Carmen y a María	*no te gustó mucho. ¿Es cierto?*	**estaban malísimos.**
María me dijo que la obra de teatro	*nos gustó mucho tu exposición,*	**fue fantástico.**
Los espagueti que comimos anoche	*que no me gustó nada,*	**no para de hablar.**
La novia de Juanjo	*y me encantó,*	**son preciosos.**
Los cuadros que compró Luis	*y, la verdad, me cayeron muy bien,*	**son majísimas.**

21 ¿Qué se puede hacer por la noche en la ciudad donde estáis?
Buscad entre todos siete actividades diferentes.

1. _____ 2. _____ 3. _____

4. _____ 5. _____ 6. _____

7. _____

Ahora cada uno de vosotros va a intentar completar esta agenda con distintas citas. Pero atención: cada noche tienes que quedar con una persona diferente de la clase para hacer una cosa diferente de vuestra lista. ¡No se puede salir dos noches con la misma persona ni ir dos días al mismo lugar! A ver quien consigue completar la agenda primero.

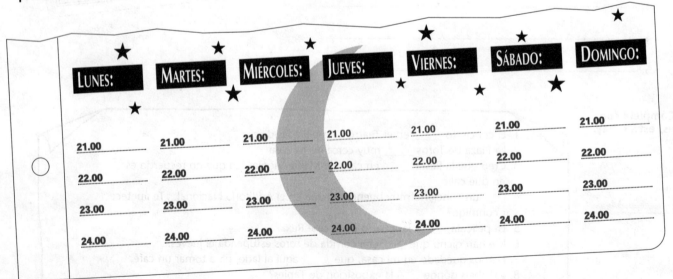

22 Aquí tienes unos anuncios de cafés de Madrid. Elige uno para llevar a cada una de las siguientes personas.

– una persona con la que sales por primera vez y que te gusta mucho;
– un compañero con el que tienes que hablar de trabajo;
– un niño, familiar tuyo, que tienes que cuidar;
– un grupo de amigos después de cenar;
– una persona que no te cae muy bien, pero a la que tienes que acompañar un día;
– la abuela de un amigo que está visitando la ciudad;
– tu profesor o profesora de español;
– un amigo al que le encantan los bailes de salón;
– un amigo aficionado al jazz.

Yo, con un niño, iría al La Palma, porque los martes hay cuentacuentos.

de 19 h. a 3 mad. V, S y vísp. hasta 3.30 mad. D de 18 h. a 2.30 mad.

● **El Bosque Animado.** San Marcos, 8 (Chueca). Tel. 91 523 34 89. Bar de copas. Hor. todos los días de 13 h. a mad. D cerr.

● **The Bourbon Cafe.** Carrera de San Jerónimo, 5. (Sol). Tel. 91 522 03 02. Café-restaurante con espectáculo. Hor. todos lo días de 13 a 5.30 mad. V y S hasta 6 mad. *Actuaciones en vivo de jazz y country.*

● **Buddha del Mar.** Ctra. de la Coruña, Km. 8,700. Tel. 91 357 29 07-08 y 677 561 193. Discoteca. Hor. todos los días de 23 h. a mad. D cerr.

● **La Buga del Lobo.** Argumosa, 11 (Lavapiés). Tel. 91 467 61 51. Taberna. Hor. todos los días de 10 h. a 1.30 mad. L cerr.

● **El Búho Real.** Regueros, 5 (Alonso Martínez). Tel. 91 319 10 88. Bar de copas con actuación. Todos los días de 19 h. a mad.

● **En Busca del Tiempo.** Barcelona, 4 (Sol). Tel. 91 521 98 01. Bar de copas y tapas. Hor. todos los días de 11 h. a 2 mad. De J a S de 11 a 4 mad.

● **El Buscón.** Victoria, 5 (Sol). Tel. 91 522 54 12. Taberna-bar de copas con actuación. Hor. todos los días de 12.30 a 1.30 mad. De J a S hasta 3.30 mad. M mañana cerr.

● **But.** Barceló, 11 (Tribunal). Tel. 91 448 06 98. Discoteca. Hor. L, M y J de 22.30 h. a 3 mad. X de 20 h. a 3 mad. V y S de 23.30 h. a 6 mad. y D de 19 h. a 3 mad. X V, S y D: **Bailes de Salón.** J: **Opera House.** S **Light** de 18 a 22.30 h. *Niños de entre 14 a 18 años.* D **Heaven** de 0.30 a mad.

● **Café Comercial.** Gta. de Bilbao, 7 (Bilbao). Tel. 91 521 56 55. Café - Cibercafé. Hor. todos los días de 7.30 h. a 1 mad. V y S de 8.30 h. a 2 mad. D de 10 h. a 1 mad.

● **Café del Cosaco.** Alfonso VI, 4 (La Latina). Tel. 91 365 27 18. Café-concierto. Hor. todos los días de 21 h. a mad.

● **Café en Vivo El Despertar.** Torrecilla del Leal, 18 (Antón Martín). Tel. 91 530 80 95. Café-Jazz años 30. Hor. todos los días de 19 a mad. M cerr. *Actuaciones en vivo.*

● **Café Español.** Príncipe, 25 (Sevilla). Tel. 91 420 17 55. Cafés y cócteles. Hor. de todos los días de 12 h. a 1 mad. V y S hasta 3 mad.

● **Café Gijón.** Pº de Recoletos, 21 (Banco de España). Tel. 91 521 54 25. Café. Todos los días de 7.30 h. a 1.30 mad. V y S hasta 2 mad.

● **Café Manuela.** San Vicente Ferrer, 29 (Tribunal). Tel. 91 531 70 37. Café. Hor. todos los días de 18 h. a 2 mad. V, S y D de 16 a 2.30 mad.

● **Café del Mercado.** Puerta de Toledo, s/n (Mercado Puerta de Toledo). Bar de copas. Todos los días de 11 a 24 h. J, V y S hasta 2 mad. D cerr.

● **Café Moderno.** Pl. de las Comendadoras, 1. (Pl. de España). Tel. 91 522 48 35. Café con actuación. Hor. todos los días de 15 h. a 2 mad. Fines de semana hasta 3 mad.

● **Café del Nuncio.** Nuncio, 12 y Segovia, 9 (La Latina). Tel. 91 366 08 53. Café. Hor. todos los días de 12 h. a 2 mad. V y S hasta 3 mad.

● **Café de Oriente.** Pl. de Oriente, 2 (Ópera). Tel. 91 541 39 74. Café. Hor. todos los días de 8.30 h. a 1.30 mad. V y S hasta 2.30 mad.

● **Café La Palma.** La Palma, 62 (Noviciado). Tel. 91 522 50 31. Bar de copas con actuación. Hor. todos los días de 16 h. a 3.30 mad. M, 21 h.: *cuentacuentos.*

● **Café de París.** Santa Teresa, 12 (Alonso Martínez). Bar de copas. Hor. todos los días de 19 h. a 3 mad.

● **Café del Real.** Pl. de Isabel II, 2 (Ópera). Tel. 91 547 21 24. Café. Hor. todos los días de 9 a 1 mad. V y S de 10 h. a 3 mad. D de 10 a 24 h.

23 Ya has leído el texto de la página 38 del *Libro del alumno*, "Fin de semana en la calle". Intenta ahora escribir un texto del mismo estilo explicando cómo son los fines de semana de la mayoría de gente de tu país.

Si estás en una clase con personas de otras culturas, será interesante que después intecambiéis los textos o los leáis en voz alta.

CONSULTAR EL TEXTO DEL *LIBRO DEL ALUMNO* TE AYUDARÁ MUCHO PARA REUTILIZAR EXPRESIONES NUEVAS.

gente que lo pasa bien

Así puedes aprender mejor

24 Vamos a jugar un poco, hablando sobre cosas relacionadas con el tiempo libre.

REGLAS DEL JUEGO DE LA COPA

– Vamos a jugar cuatro o cinco personas.

– Necesitamos un dado.

– Cada uno tiene que hablar unos treinta segundos sobre el tema que aparece en la casilla donde cae.

– Cuando alguien cae en una copa, puede saltar hasta la siguiente y volver a tirar: "De copa en copa y tiro porque me toca." (Ya sabéis que los españoles siempre cambian de bar después de tomar algo).

– Las casillas grises significan problemas (= una vuelta sin tirar).

– Si el jugador que tiene que hablar se queda callado más de cinco segundos, retrocede cinco casillas (los demás cuentan mental-mente: uno... dos... tres...). Puede usar palabras que sirven para mantener la atención (**esto, pues, bueno**...).

– Mientras alguien habla sobre su casilla, los demás jugadores deberán reaccionar de alguna manera, aunque sea de forma muy breve (por ejemplo, diciendo: **Sí, quizá / Sí, claro / Sí, es verdad / ¡Nooo!, no estoy de acuerdo**...).

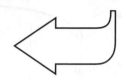

Un deporte

Tu programa
de televisión
favorito

Un actor y una
actriz que no te
gustan nada

Un actor
y una actriz que
te gustan

Tu mejor
amigo/a

Un programa de televisión
que no te gusta nada

Tus pintores favoritos

Tu fin de semana ideal

Tu opinión sobre Internet

¿Cine o videoclub?

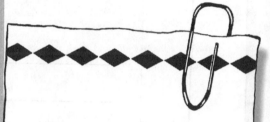

Cuando hablamos un idioma extranjero, es importante manejar bien las reglas para construir frases. Pero lo más importante, lo indispensable para poder comunicarnos de forma eficaz, es hablar de forma fluida, sin bloquearnos. La lengua es un instrumento para hacer cosas con los demás. Y, en concreto, la lengua oral es un juego que solo funciona si los hablantes colaboran e interactúan. Cuando esto sucede, todo va muy rápido. Apenas hay tiempo para pensar en nuestros conocimientos conscientes de gramática.

gente que lo pasa bien

 Autoevaluación

Ya sabes que te será muy útil escribir una especie de diario de aprendizaje, con tus progresos y problemas, tras cada unidad. Puedes hacerlo tratando de responder a las siguientes preguntas.

¿Qué palabras de esta unidad quiero recordar?
¿Qué cuestiones de gramática me parecen más complicadas?
¿Qué tipo de actividad me ha sido de mayor ayuda?
¿Cuál no me ha gustado? ¿Por qué?
¿He participado suficientemente en clase?
¿Qué puedo hacer para mejorar mi español hablado / escrito?

gente sana

❶ Lee estas afirmaciones y di si crees que son verdad o mentira.

	VERDAD	MENTIRA	NO LO SÉ
1. La hipertensión causa dolores de cabeza y mareos.			
2. Las grasas animales aumentan el nivel de colesterol.			
3. Lo mejor para dejar de fumar son los parches y los chicles.			
4. Tres vasos de vino al día son buenos para el corazón.			
5. Pasear durante tres cuartos de hora cada día es un buen ejercicio.			
6. Es mejor hacer dieta bajo control médico.			

Ahora puedes comprobarlo con el texto de la página 41 del *Libro del alumno*.

❷ En la grabación oirás a una persona que te hará preguntas relacionadas con la salud. Si lo prefieres, puedes contestar con datos falsos.

Primero, para prepararte, piensa sobre qué temas te pueden preguntar en una encuesta como esta y anótalos en español.

Encuesta nº: 2.435

◆ CAMPAÑA DE PREVENCIÓN DE ENFERMEDADES CARDIOVASCULARES ◆

◆ _____
◆ _____
◆ _____
◆ _____
◆ _____

◆ _____
◆ _____
◆ _____
◆ _____
◆ _____

◆ _____
◆ _____
◆ _____
◆ _____
◆ _____

3 ¿Qué palabras puedes relacionar con cada uno de estos problemas de salud?

alimentación	ejercicio
dieta masaje	engordar
fumar	peso
adelgazar	nicotina
estiramientos	agacharse
cigarrillo chicle	adicto
alquitrán	levantarse
postura	estar sentado

DOLORES DE ESPALDA

OBESIDAD

TABAQUISMO

Intenta escribir un texto sobre uno de los temas, usando el máximo de palabras posible de la lista.

4 **Tus amigos te cuentan sus problemas de salud. Puedes darles consejos usando el Imperativo.**

No veo bien. Pues si no ves bien, ve al oculista; tal vez necesitas gafas.

He engordado mucho este año. _____

Me canso mucho al subir las escaleras. _____

Tengo mucho apetito. _____

Tengo mucho dolor de cabeza. _____

He tomado demasiado el sol. _____

Me mareo en el coche. _____

Mi hijo ve demasiado la tele. _____

Tengo la tensión alta. _____

Tengo dolor de muelas. _____

Me duelen mucho las piernas. _____

Tengo fiebre. _____

Ahora escribe las mismas recomendaciones usando usted.

5 Escribe una cosa que se puede hacer, una que no se puede hacer y una
que hay que hacer en cada uno de estos lugares.

	SE PUEDE	NO SE PUEDE	HAY QUE
en un cine	comer palomitas	cantar	pagar para entrar
en un hospital			
en la clase de español			
en un aeropuerto			
en un monasterio			
en una discoteca			
en una biblioteca			

6 En grupos, pensad en un lugar (supermercado, consulta del médico,
cárcel...). Vuestros compañeros van a intentar averiguar cuál es. Para ello
os harán preguntas: **¿Se puede...?**, **¿Hay que...?** Vosotros solo podréis
contestar **sí** o **no**.

7 ¿Has tenido alguna vez estos problemas de salud? ¿Cómo te sentías?

Gripe: Tenía bastante fiebre y me sentía muy cansado.

Otitis: _____

Conjuntivitis: _____

Alergia al polen: _____

Apendicitis: _____

Varicela: _____

Indigestión: _____

8 ¿Sabes qué es la "esperanza de vida"? Si quieres saber cuántos años vas a vivir
según las estadísticas, contesta a este cuestionario. Empieza con el número 72 y
suma (+) o resta (-) según tus respuestas. (Pero ya sabes: son solo estadísticas).

Si eres hombre, resta tres. Si eres mujer, suma 2.		Si te gusta conducir deprisa, resta 2.	
Si vives en una gran ciudad, resta 2.		Si bebes más de cuatro cervezas al día, resta 1.	
Si vives en un pueblo, suma 2.		Si te gusta comer fruta y verdura, suma 1.	
Si tienes estudios universitarios, suma 2.		Si piensas que, en general, eres feliz, suma 2.	
Si vives solo/a, resta 1; si vives con alguien, suma 3.		Si fumas más de dos paquetes de tabaco al día, resta 6;	
Si trabajas sentado/a, resta 3.		si fumas más de un paquete, resta 4; si fumas más de	
Si haces deporte a menudo, suma 4.		10 cigarrillos, resta 2.	
Si duermes bien, suma 2.			
Si eres agresivo, resta 3; si eres tranquilo, suma 1.		RESULTADO FINAL:	

9 Si te pones enfermo en un país de habla española, este vocabulario te puede resultar muy útil. Completa las frases con las palabras siguientes.

peligroso	fiebre	ir a urgencias	alérgico	picado	llamar a un médico	síntomas
me siento	me encuentro	gotas	adelgazado	tomando el sol	calmar el dolor	dieta

1. Jacinto no está bien. Yo creo que tenemos que _____ rápido o _____.

2. ● Me parece que tengo una gastroenteritis: tengo diarrea, náuseas...
   ○ ¿Tienes _____?
   ● Un poco, 38 grados.

3. No puedo tomar ningún antibiótico. Soy _____.

4. Uy, me ha _____ una avispa. ¡Uf, cómo duele!

5. A mí me gusta ir a la playa, darme un baño, pero no estar horas y horas allí tumbado, _____. Además, está demostrado que el sol puede ser bastante _____.

6. El médico ha dicho que los _____ son los típicos de una astenia primaveral, nada de importancia.

7. Hoy no me encuentro muy bien. He comido algo que me ha sentado mal. Voy a hacer _____: arroz blanco y un poco de manzana rallada.

8. Le duele mucho la herida y le han dado algo para _____, un analgésico bastante fuerte.

9. Ha _____ mucho últimamente. Me ha dicho que ha hecho un _____ a base de fruta y verdura, y ha perdido 10 kilos.

10. Ya son las 10h. ¿Le has puesto las _____ para el oído a la niña?

11. Ayer corrí una hora por el parque y hoy _____ muy bien, un poco cansado pero de buen humor. Yo _____ mucho mejor cuando hago ejercicio físico.

10 Coloca estos elementos en una (o en varias) de las cajas.

las muelas	muelas	los ojos	la espalda	espalda	resfriado/a	bien
fatal	muy mal	mareado/a	el oído	las piernas	barriga	

LE PICAN

TIENE DOLOR DE

LE DUELE

ESTÁ

SE ENCUENTRA

SE HA HECHO DAÑO EN

LE DUELEN

11 Después de leer los textos de las páginas 42 y 43, relaciona cada palabra de la columna de la izquierda con las de la columna de la derecha. Piensa después cómo se dice en tu idioma.

dolor	de avispa
picadura	muscular
molestias	alta
reacción	de guardia
fiebre	de segundo grado
quemadura	al tragar
médico	alérgica

Completa ahora el siguiente texto con algunas de las expresiones que acabas de formar.

Una simple picadura de avispa puede provocar una _____ _____: el paciente puede sufrir _____ _____ y, a veces, también _____ _____ y _____ al _____. En esos casos, lo mejor es llevar a la persona al _____ _____ inmediatamente.

12 Escucha los diálogos que mantiene una enfermera con varios pacientes. Primero trata de completar el máximo de datos de las fichas. Luego puedes intentar dar tu diagnóstico.

PACIENTE 1
Nombre: Apellidos:
Edad:
Síntomas:
Operaciones:
Medicación actual: Alergias:
Diagnóstico:

PACIENTE 2
Nombre: Apellidos:
Edad:
Síntomas:
Operaciones: Alergias:
Medicación actual:
Diagnóstico:

PACIENTE 3
Nombre: Apellidos:
Edad:
Síntomas:
Operaciones: Alergias:
Medicación actual:
Diagnóstico:

13 Vas a leer un texto sobre la prevención de accidentes domésticos. Antes de leerlo, piensa en cinco posibles consejos que pueden aparecer y anótalos.

Hay que _____

No se debe _____

No hay que _____.

No es conveniente _____.

Nunca _____

Compara tus ideas con las de otras personas de la clase. Ahora podéis leer el texto. ¿Cuántos de vuestros consejos aparecen?

PREVENCIÓN de ACCIDENTES DOMÉSTICOS

La mayoría de los accidentes domésticos se podrían evitar. Bastaría con seguir los consejos siguientes.

PARA EVITAR ACCIDENTES POR QUEMADURAS

✓ No dejar cigarrillos o colillas mal apagadas.
✓ Desenchufar la plancha cuando no se está usando.
✓ No dejar nunca sin vigilancia el aceite en la sartén.
✓ No echar nunca agua a una sartén con aceite hirviendo.
✓ Mientras se trabaja en la cocina, conviene que los niños no estén en ella.
✓ Hay que impedir que los niños jueguen con cerillas o con mecheros.
✓ No hay que dejar líquidos inflamables al alcance de los niños.

PARA EVITAR LA ELECTROCUCIÓN POR APARATOS ELÉCTRICOS

✓ Los aparatos eléctricos deben tener toma de tierra.
✓ No hay que tocar nunca aparatos eléctricos con las manos húmedas ni con los pies descalzos o mojados.

PARA EVITAR HERIDAS POR OBJETOS CORTANTES

✓ Se debe tener especial cuidado de los niños cuando manejan objetos de cristal como botellas, copas, etc.
✓ No conviene dejar al alcance de los niños cuchillos, tijeras, cuchillas de afeitar, agujas, alfileres u otros instrumentos cortantes.
✓ Los juguetes metálicos rotos no deben guardarse, pues son elementos cortantes que pueden herir.

14 En este anuncio sobre la prevención de accidentes faltan algunos verbos.
Añádelos usando imperativos afirmativos y negativos.

evitar	abrocharse	procurar	olvidarse	no salir	no comer	colocar
estudiar	elegir	respetar	no beber	parar	sentar	

EN VACACIONES RECUERDE...

ANTES DE INICIAR EL VIAJE

_____ dormir bien la noche anterior y _____ de las preocupaciones para salir descansado y relajado. _____ sin comprobar el estado de su coche (frenos, neumáticos, luces, etc.).

LOS PASAJEROS Y EL EQUIPAJE

_____ bien el equipaje, para no afectar negativamente la estabilidad del coche.

_____ a los niños en sillas portabebés adecuadas a su peso.
_____ siempre el cinturón de seguridad.

LA RUTA

Antes del viaje, _____ el mejor itinerario para evitar carreteras congestionadas y obras.

EL MOMENTO DE SALIR

Hay días que es mejor no viajar, porque las carreteras están saturadas. _____ muy bien el día y la hora en que va a viajar y _____ las horas punta.

Y DURANTE EL VIAJE

_____ demasiado: las digestiones pesadas causan somnolencia.
_____ alcohol y _____ cuando se sienta cansado.
_____ en todo momento los límites de velocidad.

gente sana

15 En este servicio de urgencias pasan algunas cosas raras y la gente no hace lo que debe. Descríbelo.

> En los hospitales no se puede tener animales y este señor tiene un pájaro en su habitación.

El director del hospital pasa por aquí. ¿Qué dice a las personas de la imagen?

> Oiga, por favor, saque este pájaro de aquí.

16 Escucha las frases siguientes y elige la continuación.

1. a) Y deberías también comer más verdura.
   b) Y debería también beber menos alcohol.

2. a) Y piensa en todas las cosas buenas que tienes.
   b) Y piense en todas las cosas buenas que tiene.

3. a) Abrígate bien.
   b) Abríguese bien.

4. a) Y si no puede, llame antes.
   b) Y si no puedes, llama antes.

5. a) Te irá bien para la circulación de la sangre.
   b) Le irá bien para la circulación de la sangre.

6. a) ... pero bebe demasiado.
   b) ... pero tienes que beber menos.

7. a) ... por eso está tan delgado.
   b) ... y duerma por lo menos ocho horas diarias.

8. a) ... y hace todas las comidas en horarios regulares.
   b) ... y haga todas las comidas en horarios regulares.

17 Lee de nuevo el texto "A nuevos gustos, nuevos hábitos" de la página 49 del *Libro del alumno*. Y en tu país, ¿cómo son los hábitos alimentarios? ¿Están cambiando? Ahora, escribe tú un texto similar al que has leído.

PARA PREPARAR EL TEXTO:

- HAZ UNA LISTA DE TEMAS QUE QUIERES TRATAR,

- SUBRAYA EN EL TEXTO DE LA PÁGINA 49 LAS COSAS QUE TAMBIÉN SON VÁLIDAS PARA TU PAÍS,

- HAZ UN BORRADOR,

- RELÉELO Y CORRÍGELO.

18 Piensa dos consejos para cada una de estas personas y escríbelos (uno con Imperativo afirmativo y el otro con Imperativo negativo).

1. Mis vecinos hacen muchísimo ruido por las noches y no puedo dormir.

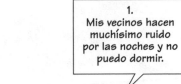

_____.

No _____.

2. Últimamente estoy engordando muchísimo y eso que casi no como nada.

_____.

No _____.

3. Mi suegra se pasa el día en mi casa, criticándolo todo. Estoy desesperado.

_____.

No _____.

4. Acabo de llegar a esta ciudad, no conozco a nadie y estoy muy sola.

_____.

No _____.

5. Tengo muchísimas espinillas, estoy feísima y me siento muy insegura: no quiero salir.

_____.

No _____.

6. Quiero aprender español, ¿qué puedo hacer?

_____.

No _____.

19 Argente es una ciudad que tiene muchos problemas. Un vecino ha escrito esta carta al director de un periódico local. Léela y fíjate bien en las palabras que usa para relacionar ideas.

CARTAS AL DIRECTOR

Sr. Director:

Me dirijo a su periódico para expresar mi más rotunda protesta ante la situación que está creando en nuestra ciudad el aumento del precio de la vivienda. En este momento resulta casi imposible alquilar un apartamento en Argente **ya que,** como todo el mundo sabe, los precios han subido enormemente estos últimos dos meses. **Sin embargo,** los sueldos de los trabajadores de Argente siguen estando por debajo de la media del país. El alquiler de mi piso, por ejemplo, costaba hasta hace poco 400 flitos mensuales y ahora el propietario pide 550; **como** no me queda otra opción, estaré obligado a pagar este alquiler. Y, al igual que yo, hay muchos habitantes en esta ciudad que ven, sin poder hacer nada, cómo el problema de la vivienda empeora **a pesar de que** muchas casas y pisos permanecen vacíos y sin arreglar.

Por todo esto, me gustaría denunciar esta situación.

Aunque los ciudadanos de Argente pagamos los impuestos municipales más altos del país, el Ayuntamiento no hace nada para solucionar los problemas que más nos afectan. ¿Por qué?

Manuel Camino

Pero los habitantes de Argente tienen más problemas. Ayúdales a protestar y escribe una carta al director sobre uno de estos temas. La información que hay en cada recuadro te puede ayudar. Para relacionar las ideas, puedes utilizar marcadores como **porque, ya que, como, a pesar de, aunque, sin embargo** u otros.

EL TRÁFICO Y LOS ROBOS

– mucha policía
– obras en todas las calles
– atascos todas las mañanas
– pagar muchos impuestos
– muchos robos
– delincuencia en la calle

FALTA DE HOSPITALES

– un solo hospital
– ciudad muy grande
– muchos médicos en paro
– enfermos en los pasillos

LA CONTAMINACIÓN Y LA SUCIEDAD

– mucha contaminación y suciedad
– transporte público deficiente
– demasiados coches
– hay contenedores para reciclar papel
– no hay papeleras

20 Después de hacer en clase la actividad 11 de la página 49 del *Libro del alumno*, escribe un texto similar al de la página 48 sobre otro producto. A lo mejor deberás buscar más información.

Así puedes aprender **mejor**

Mira este documento. Contiene muchas expresiones y vocabulario que no conoces. No obstante, sin leer el documento, solo echándole un vistazo, podrás responder a estas cuestiones.

¿En qué apartado buscarías para saber...?

– si lo pueden tomar los niños,
– cuál es la dosis máxima,
– si lleva azúcar,
– si se fabrica también en supositorios o inyectables.

Almax® Comprimidos
Almagato

Composición por comprimido:
Almagato (DCI) .... 0'5 g.
Excipientes (manitol, polivinilpirrolidona, almidón de patata, sacarina cálcica, 0,003 g;
glicirrizato amónico, estearato magnésico, esencia de menta).

Forma farmacéutica y contenido del envase
Comprimidos, para administración oral. Envase de 60 comprimidos.

Actividad
Almagato (DCI) es una sustancia sintetizada y patentada por Grupo Farmacéutico Almirall, S.A., único componente activo de la especialidad Almax.
Almagato ha demostrado, a través de su investigación en Farmacología y Farmacología Clínica, una potente y continuada acción neutralizante del ácido clorhídrico y una potente acción sobre la pepsina activa.
Además, Almagato ha demostrado una acción adsorbente y neutralizante de los ácidos biliares, cuando éstos refluyen al estómago. Esta triple acción condiciona a Almagato como un fármaco completo para todos los tipos de dispepsia.

Titular y fabricante
Titular: Grupo Farmacéutico Almirall, S.A. General Mitre, 151 08022 - Barcelona (España).
Fabricante: Industrias Farmacéuticas Almirall, S.L. Ctra. Nacional II, km. 593 08740 Sant Andreu de la Barca - Barcelona (España).

Indicaciones
Gastritis, dispepsia, hiperclorhidrias, úlcera duodenal, úlcera gástrica, esofagitis, hernia de hiato.

Contraindicaciones
No se han descrito.

Precauciones
Pacientes con insuficiencia renal.

Interacciones
No administrar conjuntamente con preparados de tetraciclina, fenotiazinas, digoxina, corticoesteroides, isoniazida y sales de hierro. Almax puede modificar la absorción o la excreción de estos medicamentos. La ingestión de Almax debe hacerse al menos una hora después de la administración de cualquier otro medicamento.

Advertencias
Embarazo y lactancia

Importante para la mujer
El consumo de medicamentos durante el embarazo puede ser peligroso para el embrión o el feto y debe ser vigilado por su médico. Si está usted embarazada o cree que pudiera estarlo, consulte a su médico antes de tomar este medicamento.

Efectos sobre la capacidad de conducción
Este medicamento no afecta a la capacidad de conducción ni al manejo de maquinaria.

Posología
Adultos
Dos comprimidos masticados o disueltos en la boca después de las comidas y antes de acostarse.
Si se presentan nuevamente molestias puede repetirse la dosis.
Niños
Para este grupo de edad, se recomienda el uso de la forma farmacéutica suspensión.

Sobredosis
Debido a que no se absorbe, son desconocidas intoxicaciones con este preparado.
En caso de sobredosis o ingestión accidental, consultar al Servicio de Información Toxicológica. Teléfono (91) 562 04 20.

Reacciones adversas
No es frecuente la aparición de efectos secundarios. Raramente se han descrito diarreas que cedieron tras la supresión del preparado.
Si se observa cualquier otra reacción adversa no descrita anteriormente, consulte a su médico o farmacéutico.

Caducidad
Este medicamento no se debe utilizar después de la fecha de caducidad indicada en el envase.

Otras presentaciones
Almax suspensión, frasco de 225 ml.
Almax Forte, sobres, envase de 30 sobres.

Texto revisado: Diciembre 1995

Sin receta médica
Los medicamentos deben mantenerse fuera del alcance de los niños

Almirall

Omega

G. M. 4252X - M2

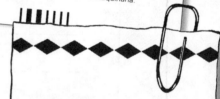

Cuando leemos un texto, nos ayuda mucho movilizar todo lo que sabemos sobre el tema, conocimientos que proceden de nuestra lengua materna o de nuestro conocimiento del mundo.
La apariencia gráfica del texto también nos da información que nos prepara para leer porque, gracias a ella, hacemos hipótesis sobre lo que vamos a encontrar en el texto.

gente sana

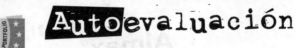

Autoevaluación

Te será muy útil escribir tus impresiones tras cada unidad.
Puedes hacerlo tratando de responder a las siguientes preguntas.

¿Qué estructuras gramaticales de esta unidad quiero recordar?
¿Qué vocabulario me parece más útil?
¿Qué voy a hacer para recordar las palabras interesantes?
¿Qué problemas he tenido?
¿Qué tipo de actividad me ha gustado más o me ha sido de mayor ayuda?
¿Cuál no me ha gustado? ¿Por qué?
¿Qué puedo hacer para practicar lo que he aprendido?

gente y cosas

1 Piensa en un objeto o en un aparato que uses todos los días. Responde a las preguntas que vas a oír pensando en este objeto.

Trata de recordar las preguntas y explica tus respuestas a tus compañeros. A ver si alguien puede adivinar de qué se trata.

> *Es de plástico y de metal y lo suelo llevar encima. Cabe en un bolsillo y...*

2 ¿Recuerdas cómo era tu primera bicicleta? ¿Quién te la compró? ¿Y estas otras cosas?

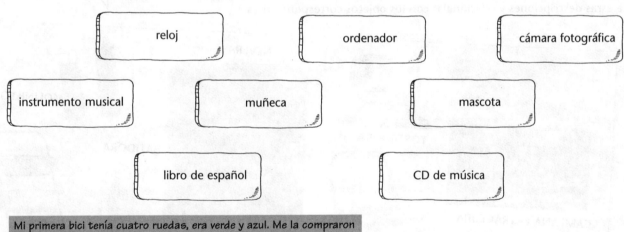

reloj	ordenador	cámara fotográfica
instrumento musical	muñeca	mascota
libro de español		CD de música

> *Mi primera bici tenía cuatro ruedas, era verde y azul. Me la compraron mis padres a los seis años.*

3 ¿Con qué mano manejas o utilizas estos objetos?

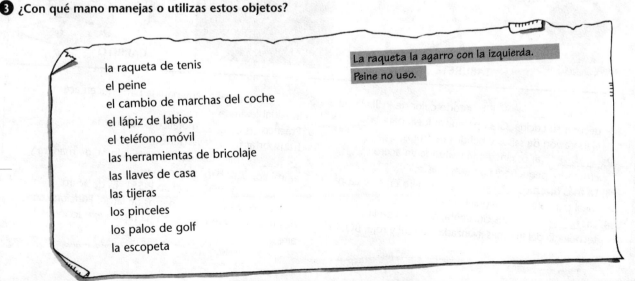

la raqueta de tenis
el peine
el cambio de marchas del coche
el lápiz de labios
el teléfono móvil
las herramientas de bricolaje
las llaves de casa
las tijeras
los pinceles
los palos de golf
la escopeta

> *La raqueta la agarro con la izquierda.*
> *Peine no uso.*

gente y cosas

❹ Imagina preguntas adecuadas para estas respuestas.

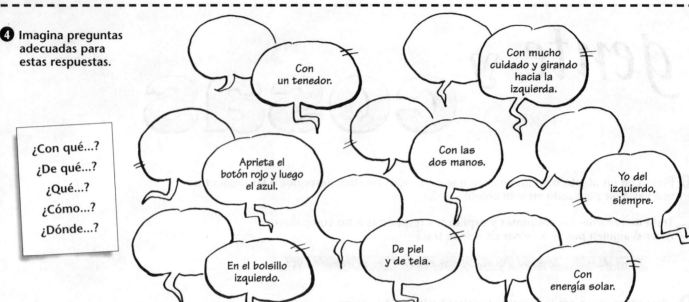

¿Con qué...?
¿De qué...?
¿Qué...?
¿Cómo...?
¿Dónde...?

Con un tenedor.

Con mucho cuidado y girando hacia la izquierda.

Aprieta el botón rojo y luego el azul.

Con las dos manos.

Yo del izquierdo, siempre.

En el bolsillo izquierdo.

De piel y de tela.

Con energía solar.

❺ Lee estas descripciones y relaciónalas con los objetos correspondientes.

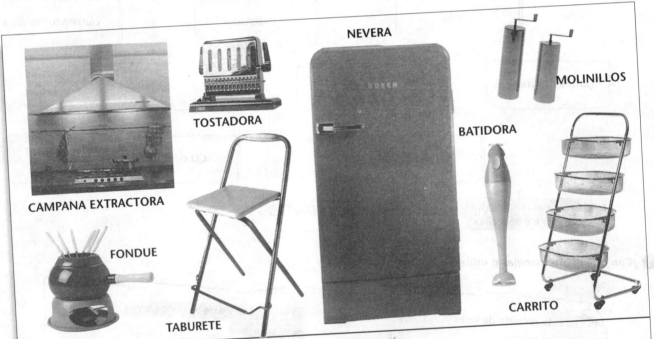

NEVERA

MOLINILLOS

TOSTADORA

BATIDORA

CAMPANA EXTRACTORA

FONDUE

CARRITO

TABURETE

1. Divertida _____ Billy a todo color de PHILIPS para decorar su cocina. Gran potencia. Ideal para la elaboración de salsas y batidos de frutas.

2. *Batidora* años cincuenta realizada en acero cromado, pequeño y con asas frías.

3. La más divertida *fondue* suiza, pero en este caso ideal para alegrar cualquier mesa.

4. La *nevera* de los cincuenta, aunque con la tecnología del frío más avanzada. En azul y rojo. BOSCH.

5. *Molinillos* para la sal y para la pimienta en acero inoxidable.

6. Práctico *carrito* metálico para guardar y transportar frutas y verduras.

7. *taburete* plegable de 85 cm de altura, de madera y aluminio, para baños o cocinas.

8. *campana extractora* PANDO modelo P-551. Es de acero inoxidable y tiene 1,05 metros de largo. Funciona con dos motores que permiten una rápida extracción del aire.

6 ¿De qué objetos hablan? Algunos aparecen en la página 52 del *Libro del alumno*.

1. _____

2. _____

3. _____

4. _____

5. _____

7 Escucha y toma notas. ¿De qué objetos pueden estar hablando?
Coméntalo con tus compañeros: el género y el número de los adjetivos
os pueden ayudar a descubrirlos.

OBJETO 1	OBJETO 2	OBJETO 3	OBJETO 4

8 Vamos a trabajar en grupos de cuatro: cada persona del grupo tiene que pedirtres cosas a otros
compañeros de la clase. El juego termina cuando un grupo consigue reunir las 12 cosas.

ALUMNO A

– un objeto que (estar) hecho de tres materiales
– un pañuelo que no (estar) usado
– algo que (servir) para ver mejor

ALUMNO B

– un libro que no (servir) para aprender español
– algo que (costar) muy poco dinero
– un objeto que (ponerse) normalmente en
  la cabeza

ALUMNO C

– una tarjeta de crédito o documento que
  (caducar) el año que viene
– un monedero que no (ser) de plástico
– algo que (servir) para no tener frío

ALUMNO D

– un objeto que (tener) un especial significado
  para su dueño
– algo que (ponerse) normalmente en el pie
– un billete que no (ser) del país donde vives

• ¿Tienes aquí algún pañuelo que no esté usado?
○ Lo siento, pero no tengo.
• ¿Y algo que sirva para ver mejor?
○ Sí, ten, mis gafas.

9 Completa el cuadro con las formas que faltan del Presente de Subjuntivo.
¿Puedes formular una regla para recordar cómo se construye?

ESTUDIAR		LEER		ESCRIBIR	
INDICATIVO	SUBJUNTIVO	INDICATIVO	SUBJUNTIVO	INDICATIVO	SUBJUNTIVO
estudio	estudie	leo		escribo	escriba
estudias		lees	leas	escribes	escribas
estudia	estudie	lee		escribe	
estudiamos		leemos	leamos	escribimos	
estudiáis		leéis		escribís	escribáis
estudian	estudien	leen		escriben	

TENER		PODER		QUERER	
INDICATIVO	SUBJUNTIVO	INDICATIVO	SUBJUNTIVO	INDICATIVO	SUBJUNTIVO
tengo		puedo	pueda	quiero	
tienes	tengas	puedes	puedas	quieres	
tiene	tenga	puede		quiere	quiera
tenemos		podemos		queremos	queramos
tenéis	tengáis	podéis		queréis	
tienen		pueden	puedan	quieren	quieran

10 ¿Puedes decir cuál es la diferencia de significado entre a y b? ¿En qué contextos imaginas cada frase?

a. ¿Conocéis a una actriz rubia que toca el piano?
b. ¿Conocéis a una actriz rubia que toque el piano?

a. Quiero trabajar con una persona que tiene muchísima experiencia.
b. Quiero trabajar con una persona que tenga muchísima experiencia.

a. Necesito un libro que trata de la Guerra Fría.
b. Necesito un libro que trate de la Guerra Fría.

a. Estoy buscando a un profesor que da clases de nivel inicial.
b. Estoy buscando a un profesor que dé clases de nivel inicial.

11 Distribuye estos objetos en los nueve espacios de tu estantería. Luego explícale a tu compañero dónde has puesto cada cosa. ¿Lo habéis hecho igual? Ojo: al hablar no olvidéis los pronombres.

Las flores las he puesto arriba a la izquierda.

arriba
abajo
en el centro
a la derecha
a la izquierda

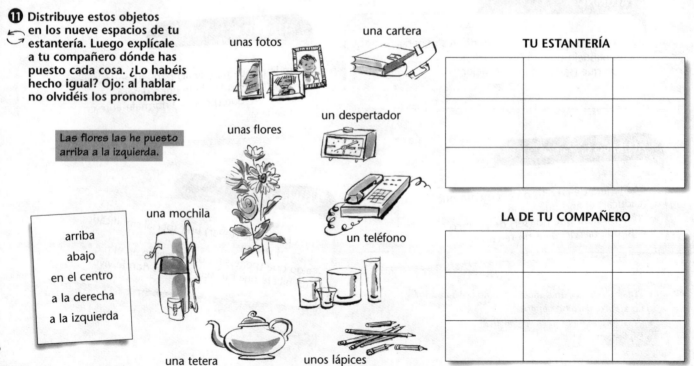

unas fotos
una cartera
un despertador
unas flores
una mochila
un teléfono
una tetera
unos lápices

TU ESTANTERÍA

LA DE TU COMPAÑERO

12 ¿Qué estamos describiendo? Fíjate además en cómo utilizamos las preposiciones
(en, con, a, para...) en las frases de relativo.

Es un objeto **en el que** puedes colgar ropa, normalmente es de plástico o de madera y está en los
armarios.

Es una prenda de vestir **con la que** te proteges del frío. Puede ser de lana o de piel y suele ser
larga.

Son unos electrodomésticos de metal **en los que** ponemos la ropa sucia. Hay de varios tipos
y a veces hacen mucho ruido.

Son unas prendas de tela **con las que** te secas después de la ducha o del baño.

13 Ahora describe
tú cuatro de estos
objetos, u otros
que se te ocurran,
utilizando las
formas que acabas
de ver.

14 ¿Cuándo fue la última vez que te pasó una de estas cosas? Completa el cuadro y
prepárate para contar una de estas anécdotas a tus compañeros.

	¿DÓNDE ESTABAS?	¿CON QUIÉN?	¿QUÉ PASÓ?	¿QUÉ HICISTE DESPUÉS?
Pincharte una rueda.	en Ibiza	solo	se me pinchó la rueda	tuve que hacer auto-stop
Rompérsete un zapato / la falda/...				
Caerte delante de gente.				
Romper un objeto valioso.				

La última vez que se me pinchó una rueda fue en Ibiza; yo estaba de vacaciones allí. Iba solo por la carretera
en bici y de repente se me pinchó la rueda. Tuve que hacer auto-stop...

5 EJERCICIOS

gente y cosas

15 Lee estas frases y observa cuándo aparecen los pronombres. En clase puedes comentarlo con un compañero para ver si habéis llegado a las mismas conclusiones.

- ¿Has visto a los niños?
- No, hoy no los he visto.

- ¿Has visto a los niños?
- A Laura la he visto en el jardín, a Pablo no.

- ¿Has visto a los niños?
- He visto a Laura en el jardín.

- Las maletas, ¿dónde las pongo?
- Las puedes poner en mi cuarto.

- ¿Dónde has dejado el abrigo?
- ¿Abrigo? No llevaba.

- Y las maletas, ¿dónde las pongo?
- Ahí, con las cajas.

- ¿Ya ha venido el técnico?
- Sí, ha arreglado la lavadora y se ha llevado el televisor.

- ¿Ya ha venido el técnico?
- Sí, la lavadora la ha arreglado pero el televisor se lo ha llevado.

- ¿Dónde tienes el coche?
- Coche no tengo. La moto la he aparcado en el párking subterráneo.

¿APARECE EL PRONOMBRE EN...?

	Sí	NO
– frases con OD después del verbo	☐	☐
– frases con OD antes del verbo (OD determinado)	☐	☐
– frases con OD antes del verbo (OD no determinado)	☐	☐
– frases sin verbo	☐	☐

16 Seguramente en tu casa tienes algunas cosas por las que sientes especial cariño o que son importantes para ti. ¿Dónde las guardas? ¿Quién te las regaló? ¿O las compraste tú mismo/a?

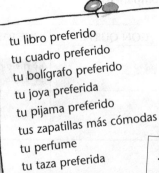

tu libro preferido
tu cuadro preferido
tu bolígrafo preferido
tu joya preferida
tu pijama preferido
tus zapatillas más cómodas
tu perfume
tu taza preferida
tu sillón

...me lo/la/los/las he comprado yo mismo/a.

...me lo/la/los/las regaló XXXX.

Mis libros preferidos los tengo en una estantería, al lado de la cama.
Casi todos me los he comprado yo.

17 A una isla desierta solo puedes llevarte tres de estas cosas.
Elige cuáles y escribe por qué.

un ordenador   un teléfono móvil

un libro una radio   un cuchillo

un encendedor   papel higiénico

un paquete de hojas de papel   una olla

una sierra   una tienda de campaña

un rollo de 20 metros de plástico

una tabla de madera de 2 m^2 una cuerda

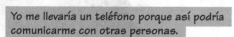
Yo me llevaría un teléfono porque así podría
comunicarme con otras personas.

18 Veamos si tenéis buena memoria visual. Un compañero se colocará en medio
de la clase con varios objetos y prendas puestas (reloj, chaqueta, bolsa, gafas, etc.),
cuantos más mejor. Fíjate bien en lo que lleva y dónde. Luego saldrá de la clase y
volverá a entrar, pero con algunos cambios. ¿Cuáles son?

● Antes llevaba el reloj en la derecha y ahora lo lleva en la izquierda.
○ Sí, y antes llevaba gafas y ahora no lleva.

19 Evaristo es un desastre. Tenía que ocuparse del apartamento de un
amigo la semana pasada pero le pasaron todo tipo de desgracias.
¿Cuáles? Ojo con los pronombres.

Se le murió la planta.

20 ¿Qué describen las siguientes adivinanzas populares?

① En él va la familia
y el equipaje,
y se pasa las noches
en el garaje.

② Vivo en las calles,
tengo tres ojos;
todos me miran
si me ven rojo.

③ Soy redonda, soy de goma,
soy de madera o metal;
voy por llanuras y lomas
con una hermanita igual.

④ Es un caballero
alto y muy delgado,
tiene doce damas
para su regalo;
todas van en coche,
todas tienen cuartos,
todas usan medias,
pero no zapatos.

⑤ Soy una nube que se abre
en el aire, como flor:
y en la punta columpiando
suele mirarse un señor.

1. el coche 2. el semáforo 3. la rueda 4. el reloj de pie 5. el paracaídas

21 Describe estas cosas sin utilizar las palabras que están entre paréntesis.

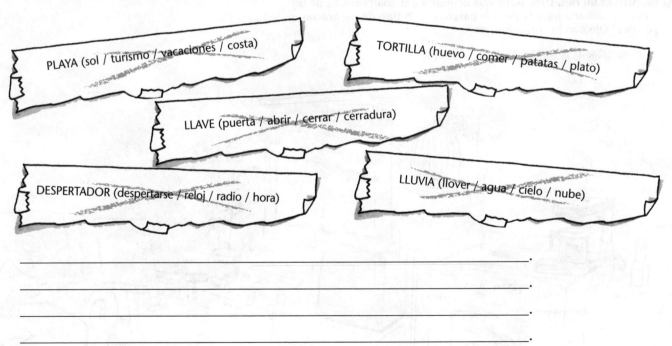

PLAYA (sol / turismo / vacaciones / costa)

TORTILLA (huevo / comer / patatas / plato)

LLAVE (puerta / abrir / cerrar / cerradura)

DESPERTADOR (despertarse / reloj / radio / hora)

LLUVIA (llover / agua / cielo / nube)

_____ .
_____ .
_____ .
_____ .
_____ .

Así puedes aprender mejor

22 Marca una ruta por este laberinto. Luego tienes que transmitírsela a tu compañero para que él la marque en su libro. Pero ojo: las palabras de la lista están prohibidas; deberás usar algunos recursos para no nombrarlas.

Primero vas hacia una cosa que sirve para cocinar y giras a la derecha...

PALABRAS TABÚ: sartén / teléfono / plato / maleta / ordenador / batidora / bolso / dinero / carrito de la compra / reloj / disco compacto / taza / olla / bol / lámpara / armario / bombilla / bandeja / teléfono móvil / cazuela / despertador / impresora / cortacésped

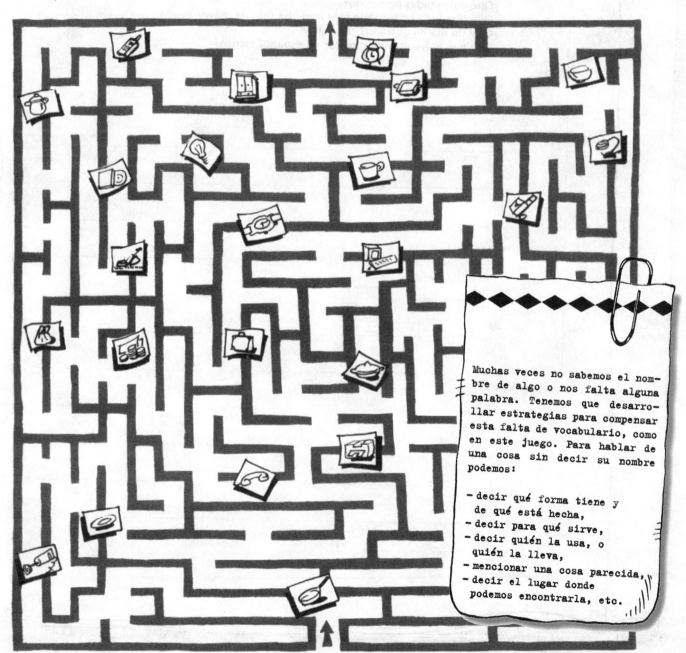

Muchas veces no sabemos el nombre de algo o nos falta alguna palabra. Tenemos que desarrollar estrategias para compensar esta falta de vocabulario, como en este juego. Para hablar de una cosa sin decir su nombre podemos:

- decir qué forma tiene y de qué está hecha,
- decir para qué sirve,
- decir quién la usa, o quién la lleva,
- mencionar una cosa parecida,
- decir el lugar donde podemos encontrarla, etc.

gente y cosas

Autoevaluación

Te será muy útil escribir tus impresiones tras cada unidad.
Puedes hacerlo tratando de responder a las siguientes preguntas.

¿Qué palabras de esta unidad quiero recordar?
¿Qué estructuras gramaticales me han parecido más útiles?
¿Qué dificultades he tenido?
¿Qué texto me ha gustado más o me ha sido de mayor ayuda?
¿Cuál no me ha gustado? ¿Por qué?
¿Qué puedo hacer para mejorar mi español escrito?

gente de novela

1 Escribe dos o tres cosas que recuerdes sobre tu vida en estas fechas.

- agosto del año pasado
- hace cinco años
- el último (día de) Año Nuevo
- invierno del 90
- hoy hace un año
- tu último cumpleaños

> En agosto de 1998 yo trabajaba en São Paulo y vivía con mis padres...

2 ¿Dónde estaban ayer a las 12 de la noche?

	1	2	3	4	5	6
en su casa						
en un espectáculo						
en casa de alguien						
en la calle						
en el coche						
en un bar o restaurante						
en otros lugares						

3 La modelo Cristina Rico y el inspector Palomares hablan sobre su infancia para la revista *600 segundos*. Lee lo que cuentan y completa el cuadro con las formas que encuentres del Pretérito Imperfecto. Luego puedes acabar de completarlo con las formas que te falten.

Cuando era pequeña vivía en un pueblecito de Segovia, Abades, e iba al colegio todos los días en autobús porque en Abades no había escuela. Los fines de semana ayudaba a mi madre en las tareas de casa y, algunos días, iba con mis hermanos y mi padre a pescar. La vida en Abades no era muy divertida pero tampoco estaba mal: podíamos ir al cine una vez por semana, hacer excursiones, jugar en el campo. Yo entonces era muy bajita y bastante fea y no podía ni pensar que un día iba a ser modelo. Pero un día en Madrid, cuando tenía 16 años, al salir de una discoteca, un señor me dio su tarjeta. Le llamé al día siguiente y desde entonces me dedico a la moda.

De niño yo vivía en el centro de Madrid, en un barrio que se llama Lavapiés. Era la posguerra y la vida en España era bastante dura; aunque mis padres trabajaban –mi madre cosía en casa y mi padre trabajaba en una fábrica de caramelos– no nos podíamos permitir ningún lujo. Yo estudiaba en un colegio público... Lo que mejor recuerdo son los domingos: por la tarde íbamos al cine. Cuando las películas eran de gángsters, yo soñaba que era policía y luchaba contra la mafia. Y ahora ya ven, soy inspector de policía, lo que quería ser de pequeño.

IMPERFECTO DE INDICATIVO				
	Verbos en -AR	Verbos en -ER/-IR	SER	IR
yo				
tú				
él, ella, usted				
nosotros/as				
vosotros/as				
ellos, ellas, ustedes				

4 Debes averiguar todo lo posible sobre la infancia de un compañero de clase. ¿Qué preguntas puedes hacer? Prepáralas por escrito.

¿Dónde vivías?

Ahora, haz tus preguntas a un compañero y explica después al resto de la clase lo que te ha parecido más interesante.

5 Muchas veces los titulares de periódicos se forman con sustantivos. Pero, si imaginamos que estas cosas sucedieron ayer, ¿cómo las contaríamos?

ROBO DE UN PICASSO EN
UN MUSEO DE BARCELONA

Misteriosa desaparición
de Cristina Rico

Descubierto un esqueleto de tiranosauro
en los alrededores de Madrid

GRAVE ACCIDENTE
EN LA AUTOPISTA A-1

CAÍDA ESPECTACULAR
DE LA BOLSA DE NUEVA YORK

GRAN ÉXITO DEL TENOR PERICO LINARES
EN SU ACTUACIÓN EN NUEVA YORK

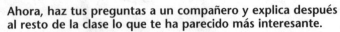

¿Sabes que ayer robaron un picasso en un museo de Barcelona?

Busca en casa algún periódico de la semana pasada y selecciona tres noticias. ¿Cómo se las puedes contar a tus compañeros? Ellos te harán más preguntas.

6 Relaciona un elemento de cada columna hasta formar ocho frases.

Ayer no comí nada	él se puso rojo	y no pude volver a casa
Cuando Lola besó a Luis	no había taxis	porque tenía resaca.
Cuando tenía cuatro años	me compraron una bici	que se llamaba Rex.
Isabel y Jacobo	hacía mucho frío	donde no había tiendas.
El viernes pasado	porque me encontraba	porque era la primera vez.
Llovía mucho,	se levantó a las dos	fatal del estómago.
Laura	vivía en una calle	que tenía cuatro ruedas.
Hace muchos años	se conocieron en un bar	y nos quedamos en casa.

7 En este texto Pedro cuenta cómo conoció al amor de su vida. Léelo.

Nos conocimos un domingo de julio, en el paseo marítimo de Málaga. Me gustó en cuanto la vi: me acerqué a ella y me senté a su lado. Empecé a hablar con ella: "¿Cómo te llamas? ¿De dónde eres?" Al final me dijo: "I'm sorry. I don't speak Spanish." Intenté comunicarme con ella mediante gestos y al cabo de un rato la invité a cenar. Aceptó, y fuimos a un restaurante junto al mar. No dijimos nada en toda la noche, pero nos enamoramos locamente.

Lo que acabas de leer son los hechos principales, los acontecimientos, expresados en Indefinido.
Las circunstancias, las razones y las acciones que rodeaban estos hechos se expresarían normalmente en Imperfecto.
Completa ahora el mismo relato con las frases que te damos más abajo.
Antes, pon los verbos entre paréntesis en Imperfecto.

Nos conocimos un domingo de julio, en el paseo marítimo de Málaga. (2) Me gustó en cuanto la vi: (__) me acerqué a ella y me senté a su lado. (__) empecé a hablar con ella: "¿Cómo te llamas? ¿De dónde eres?" (__), al final me dijo: "I'm sorry. I don't speak Spanish." (__) intenté comunicarme con ella mediante gestos y al cabo de un rato la invité a cenar. Aceptó, y fuimos a un restaurante junto al mar (__). No dijimos nada en toda la noche, pero nos enamoramos locamente.

1. (SER, ella) _____ morena, de ojos verdes, (PARECER) _____ tímida y (ESTAR) _____ sola, así que...

2. Aquel día (HACER) _____ mucho calor, y ella (ESTAR) _____ sentada en un banco del paseo.

3. Desde nuestra mesa (OÍRSE) _____ el ruido de las olas y ella no (DEJAR) _____ de sonreír.

4. Ella me (MIRAR) _____ y (SONREÍR) _____, pero no me (CONTESTAR) _____.

5. En aquella época yo no (SABER) _____ ni una palabra de inglés pero...

6. Yo (ESTAR) _____ bastante nervioso, pero me (GUSTAR) _____ tanto que...

8 ¿Te acuerdas?

	¿Cuándo fue? ¿Qué pasó?	¿Dónde estabas?	¿Qué tiempo hacía?	¿Con quién estabas?	¿Recuerdas cómo ibas vestido/a?
un día feliz	El 17 de diciembre de 1990: nació mi hijo.	En esa época yo vivía en Madrid.	Hacía buen tiempo.	Con mi marido.	Llevaba un camisón.
un día de suerte					
un día en el que tomaste una decisión importante					
un día especial de tu infancia					
un día de mala suerte					
un día en el extranjero					
un día en el que te pasó algo misterioso					
un día en el que te enfadaste mucho					
la primera vez que te enamoraste					
la última vez que pasaste mucha vergüenza					
la última vez que pasaste mucho miedo					

9 Contrasta los datos biográficos de Marina con los tuyos o con acontecimientos sobre tu país o sobre el mundo. Usa en aquella época, aquel año, aquel día...

– Marina nació en 1955, el 1 de enero.   Yo en 1955 todavía no había nacido.

– En 1970 sus padres se divorciaron.   En aquella época mis padres eran novios.

– En 1972 entró en la Universidad.

– En 1977 terminó la carrera.

– En 1978 se fue a vivir a Italia y trabajó tres años en Génova como profesora de literatura.

– En el verano del 81 volvió a España.

– En 1984 hizo oposiciones y ganó una plaza en un instituto de enseñanza secundaria.

– En 1991 conoció a Tomás y se casaron el mismo año, el 15 de agosto.

– En 1992 nació su hija Julia, el 21 de setiembre.

– En 1996 se fueron a vivir a Andalucía, a un pueblecito de la provincia de Granada.

– En 1998 nació su segunda hija, Teresa.

– A los pocos meses, Marina dejó su trabajo y empezó a dedicarse a la pintura.

– En 1999 hizo su primera exposición y tuvo mucho éxito.

10 Trabajaremos en grupos de cuatro. Elige una caja y lee sólo esa. Tendrás que contar a tus compañeros, en primera persona, una anécdota basándote en los elementos que hay en ella. Primero, prepárate individualmente. Los demás te podrán hacer preguntas.

- hace unos días
- en casa tranquilamente
- escuchar un ruido
- ver a unos ladrones en la casa de al lado
- llamar a la policía
- los ladrones escaparse

- ayer por la tarde
- ir por la calle
- encontrar 60 euros en el suelo
- comprarse algo de ropa
- invitar a cenar a un amigo

- anoche
- en mi casa
- a punto de dormirse
- sonar el teléfono
- escuchar una voz extraña en otro idioma
- volver a llamar otras dos veces

- el verano pasado
- en coche por una carretera secundaria
- pararse el coche de repente
- ver un ovni
- parar frente al coche
- bajar un ser muy extraño

11 Han asesinado al marqués de Estaflor. En esta crónica periodística se han borrado algunas líneas. ¿Puedes reconstruirlas?

EL MEDITERRÁNEO

29 de noviembre

RESUELTO EL ASESINATO DE UN CONOCIDO ARISTÓCRATA MADRILEÑO

Madrid / Agencias

La policía dispone ya de pruebas en el asesinato de Don Adolfo de Gil y Puértolas, marqués de Estaflor, cuyo cadáver apareció hace diez días en el jardín de su casa. Su ex mujer continúa en paradero desconocido.

Según el relato policial, todo ocurrió _____ _____. Don Adolfo, que la noche anterior _____ _____, salió a tomar el sol en su jardín con _____, como de costumbre, cuando de repente _____ _____.

El marqués, asustado, _____ pero _____. Unos minutos después, el asesino _____ _____ _____. El cadáver quedó en el jardín hasta que a las seis de aquella tarde _____ _____ _____. El móvil del crimen también parece claro. La policía sospecha de _____ _____ _____.

6 EJERCICIOS

gente de novela

12 Peter, un estudiante de español, tiene algunas dudas con los verbos. Al escribir esta carta no sabía qué formas usar. ¿Puedes ayudarle a elegir la correcta?

Querida Matilde:

*La semana pasada Javier y yo **íbamos / fuimos** de excursión a la sierra con Jon y Natalia. **Andábamos / estuvimos andando** unas dos horas hasta llegar a un refugio de montaña. Allí nos comimos los bocadillos que aquella mañana **hacíamos / habíamos hecho** en casa. Después **jugábamos / estuvimos jugando** al fútbol hasta que se hizo de noche. Entonces montamos las tiendas de campaña, pero yo, como no **hizo / hacía** nada de frío, decidí dormir fuera. Al día siguiente **hizo / había hecho** bastante calor y nos levantamos tempranísimo, a las siete o siete y media, y volvimos al pueblo andando. La verdad es que nos lo **pasábamos / pasamos** muy bien. Y tú, ¿cuándo piensas venir para ir juntos de excursión? ¿Me escribirás?*

Peter

13 A estas personas les ocurrieron historias un poco sorprendentes. ¿Qué estaban haciendo cuando sucedieron? ¿Cómo terminó la historia?

Estaba leyendo tranquilamente cuando alguien llamó por teléfono. Era el Presidente del Gobierno en persona...

14 Algunas personas han dado estas informaciones falsas. Corrígelas. Si no sabes los datos reales, puedes inventarlos. Usa **donde**, **quien** y **cuando** en frases como la del ejemplo.

1. Hernán Cortés descubrió América. ~~No, no fue Hernán Cortés quien descubrió América, sino Colón.~~

2. Jack Ruby mató a John F. Kennedy. _____

3. Las Olimpiadas de Barcelona se celebraron en 1990. _____

4. Federico García Lorca murió en Argentina. _____

5. Los Beatles empezaron su carrera en Londres. _____

6. Giuseppe Verdi vivió en el siglo XVIII. _____

7. Creo que El Greco pintó "Las Meninas". _____

8. Albert Einstein nació en los Estados Unidos. _____

9. Julio Verne escribió *La isla del tesoro*. _____

10. La Revolución Francesa empezó en 1700. _____

15 Escribe otras cinco cosas, referidas a la Historia, que no sean verdad. Vas a leerlas en clase, a ver quién te corrige antes.

● La II Guerra Mundial terminó en 1942.
○ ¡No! Fue en 1945 cuando terminó.

16 El inspector Palomares tomó notas durante el interrogatorio a tres testigos, pero algunas palabras se han borrado. Escucha la grabación y complétalas.

El señor García Cano salió del hotel a las nueve y media porque _____ con una amiga. Fueron a cenar y luego _____ algo en un pub. Ella _____ hoy a _____ cansada. Dice que su amiga, una modelo, _____ Singapur.

La señorita Toledo _____ con Cristina en la habitación de _____ y viendo un vestido. Después ésta hasta las 10: _____ a su habitación y se quedó allí porque _____ Después solo _____ a su novio, que pasó a verla.

El señor Rosales afirma que _____ la tele hasta las once, que después fue a ver a su novia, a dar una vuelta y que _____ al hotel a las once y cuarto. Fue a pedirle las llaves del coche a Laura porque hoy _____ pero ella _____

gente de novela

17 Estas personas cuentan algunas cosas, pero el ruido no te deja oír bien. ¿Cómo pides aclaraciones?

1. ¿Con quién?

2. ¿_____ ?

3. ¿_____ ?

4. ¿_____ ?

5. ¿_____ ?

6. ¿_____ ?

7. ¿_____ ?

8. ¿_____ ?

9. ¿_____ ?

10. ¿_____ ?

Ahora comprueba si lo has hecho igual que las personas de la grabación.
Puedes repetir las preguntas fijándote muy bien en la entonación.

18 ¿Qué hiciste ayer por la tarde? Escribe cuatro cosas que hiciste y cuánto tiempo estuviste haciéndolas.

Escucha ahora a estas personas y fíjate en si alguna de las cosas que cuentan coincide con las que tú has escrito.

Yo también estuve un rato leyendo.

Vuelve a escuchar la grabación y marca en el cuadro la forma verbal que usan. ¿Con cuál de las dos formas se hace más hincapié en la duración de la acción?

	1	2	3	4	5	6	7	8
INDEFINIDO								
estuve + GERUNDIO								

19 Completa la declaración de un camarero del bar del Hotel Florida Park. Tienes que usar los verbos que están en el recuadro y utilizar la forma adecuada del Indefinido o de **estar** (en Indefinido) + Gerundio.

| empezar | ver | bajar | limpiar | marcharse | llegar | estar | comer | volver | irse |

Pues ayer _____ platos en la cocina del bar toda la mañana. A las doce _____ a trabajar en la barra y a eso de las doce y media o una menos cuarto _____ Cristina, que _____ a tomar una café. _____ una media hora con otra chica que parecía amiga suya y después _____. Al cabo de un rato _____ a bajar al bar. Eran las dos o dos y cuarto, y hasta las tres _____ algo en la terraza: un sándwich, creo. Luego _____ y ya no la _____ más.

20 **Las cosas las podemos contar de muchas maneras, desde diferentes puntos de vista. Vuelve a escribir estos relatos partiendo de las frases señaladas. Tendrás que usar el Pluscuamperfecto.**

Fue un día duro. Tuve tres reuniones muy importantes y apenas pude comer. Solo comí un bocadillo, de pie en la oficina. Por la tarde hablé con Ricardo, un compañero, sobre un problema que tenemos en nuestro departamento. **Fue una conversación un poco desagradable... Cuando entré en casa me di cuenta enseguida. "¡Lo que faltaba!", pensé. "Me han entrado a robar."**

Cuando entré en casa me di cuenta enseguida. "¡Lo que faltaba!", pensé. "Me han entrado a robar."
Y es que había sido un día duro: había tenido tres reuniones y...

Ese día me levanté demasiado tarde, me arreglé a toda velocidad. Salí de casa con prisas, nerviosa... Me llevé el **coche** pequeño para poder aparcar mejor. Llegué a la estación con el tiempo justo para coger el tren, pero entrando **en el párking, pum... Fue un accidente de lo más estúpido.**

Fue un accidente de lo más estúpido...

Por la mañana le compré un anillo precioso y carísimo, después le envié un ramo de flores a casa. Por la tarde **me arreglé** bien, me puse la colonia que a ella le gusta y me fui a la cita nerviosísimo. Y me dijo que sí, que se quería **casar conmigo.**

Me dijo que sí...

21 **La vida de Alberto García es muy estresante. Aquí tienes algunos fragmentos de su agenda de la semana pasada. Fíjate en el relato de sus actividades del jueves y haz después lo mismo con los otros tres días. Tendrás que empezar siempre con la actividad que está marcada.**

15 JUEVES

10.00	recoger a Marta en el aeropuerto
13.30	comida con Javier Gila en Vips
15.30	Laura. El Corte Inglés

El jueves, a la una y veinticinco, fue a comer con Javier Gila en Vips. Aquella mañana había ido a recoger a Marta al aeropuerto. Y dos horas después de comer con Javier, se encontró con Laura en El Corte Inglés

14 MIÉRCOLES

8.30	desayuno con la delegación japonesa
12.30	reunión de trabajo con Alex
6.00	sauna y masaje en Relax

12 LUNES

9.00	visita a la fábrica nueva
11.20	golf en La Moraleja con Arturo
16.20	recepción en la embajada rusa

13 MARTES

9.15	vuelo a París
14.00	boda de mi prima Elena
19.00	vuelo a Madrid

Así puedes aprender mejor

22 Aquí tienes el comienzo de una novela y, a continuación, los sustantivos y los verbos que la autora emplea en el párrafo siguiente en el mismo orden en el que aparecen. Con ayuda de dos compañeros, intenta escribir el segundo párrafo.

"Por dificultades en el último momento para adquirir billetes, llegué a Barcelona a medianoche, en un tren distinto del que había anunciado y no me esperaba nadie.

La sangre, después del viaje largo y cansado, me empezaba a circular en las piernas entumecidas y con una sonrisa de asombro miraba la gran Estación de Francia y los grupos que se formaban entre las personas que estaban aguardando el expreso y los que llegábamos con tres horas de retraso."

olor	rumor	gente	luces
tener	encanto	envolver	impresiones
maravilla	llegar	ciudad	sueños

Nada, Carmen Laforet

"El olor especial, el gran rumor de la gente, las luces siempre tristes, tenían para mí un gran encanto, ya que envolvía todas mis impresiones en la maravilla de haber llegado por fin a una ciudad grande, adorada en mis sueños por desconocida."

En actividades como esta, en las que comparas tus producciones con las originales de un nativo, puedes darte cuenta mucho mejor de cómo funcionan algunos aspectos gramaticales. Tú mismo, además, puedes decidir qué cuestiones son las que te interesa más recordar o estudiar con más detalle.

Autoevaluación

Te será muy útil escribir tus impresiones tras cada unidad.
Puedes hacerlo tratando de responder a las siguientes preguntas.

¿Qué palabras de esta unidad quiero recordar?
¿Qué estructuras gramaticales me parecen más útiles?
¿Qué problemas he tenido?
¿Qué tipo de actividad me ha gustado más o me ha sido de mayor ayuda?
¿Cuál no me ha gustado? ¿Por qué?
¿Qué puedo hacer para mejorar mi español hablado o escrito?

gente con ideas

1 El domingo fue un día muy movido para Arturo. A partir de las frases que te damos, reconstruye la historia de lo que pasó. Puedes añadir las expresiones que quieras para organizar el relato.

| | El domingo Arturo estaba tranquilamente en casa... | |

Apagaron el fuego.
Era la vecina de al lado, Susana.
Estaba cocinando.
Fue a casa del portero.
Fue a su casa a ayudarla.
La casa estaba llena de humo.
Necesitaba ayuda.

La puerta estaba cerrada.
Llamó a su amiga Irene, que tiene llaves de su casa.
Volvió a su casa.
Se le había encendido el aceite de una sartén.
Tenía un pequeño incendio en la cocina.

No cogió las llaves.
Volvió a casa de Susana.
Tampoco estaba.
Oyó el teléfono de su casa.
No había nadie.
Seguramente era Carolina.
Y sonó el timbre...

O sea que se tuvo que quedar en casa de Susana, la vecina, que le invitó a una pizza.

2 Tú eres el encargado de la publicidad de GENTE A PUNTO. Completa el texto del anuncio con cosas que recuerdes de la página 73 del *Libro del alumno* o con otras ideas.

GENTE A PUNTO
le pone las cosas fáciles

HOGAR & EMPRESAS
☐ ELECTRICISTA ✳☾ *Averías de urgencia...*
☐ CERRAJERO ☾ *Cerrajería, aperturas...*
☐ LIMPIEZA ✳ *Del hogar,*
☐ SEGUROS ✳ *De coches, de accidentes, del hogar...*
☐ INFORMÁTICA ✳ *Ordenadores,*
☐ MUDANZAS ✳ *Guardamuebles,*
☐ INMOBILIARIA ✳ *Alquiler y venta de*
☐ SECRETARIADO TELEFÓNICO ✳☾ *Recogida de mensajes,* traducciones, alquiler de
☐ AGENCIA DE ✳ *Folletos, anuncios...*
☐ ASESORÍA FISCAL ✳ *Asesoría personal, empresarial...*

☐ SELECCIÓN DE PERSONAL ✳ *Canguros, personal doméstico...*
☐ MENSAJERÍA ✳ *Nacional e internacional*
☐ ESCUELA DE INFORMÁTICA ✳ *Cursos extensivos e*

HOSTELERÍA
☐ RESTAURANTE TRADICIONAL ✳ *Paella, fideuá, brandada de bacalao...*
☐ RESTAURANTE *Cerdo agridulce, rollitos de primavera...*
☐ RESTAURANTE ITALIANO ✳ *Pizzas,*
☐ RESTAURANTE MEXICANO ✳ *Tacos, nachos...*
☐ SERVICIO DE BOCADILLOS ✳ *Fríos, calientes...*

ALIMENTACIÓN
☐ PANADERÍA ✳☾ *Pan, bollería, tartas...*
☐ ✳ *Pollos, conejos, carne de avestruz...*
☐ CHARCUTERÍA ✳ *Jamón dulce,*
☐ BODEGA ✳☾ *Cava,*
☐ SUPERMERCADO ✳☾ *Alimentación,*
☐ POLLOS ASADOS ✳☾ *Con variedad de guarniciones*

ANIMALES & PLANTAS
☐ ✳☾ *Flores naturales, plantas,*
☐ CUIDADO DE ANIMALES ✳☾ *Perros, gatos, terrarios...*

OCIO
☐ VÍDEO ✳☾ *Últimas novedades, clásicos...*
☐ AGENCIA DE VIAJES ✳ *Viajes programados, de aventura...*

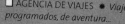

3 Los niños celebraron ayer una fiesta de cumpleaños. Responde a las preguntas como en el modelo. Puedes usar **comerse, tomarse, beberse, romper, estropear, llevarse, terminarse + todo/a/os/as.**

¿Les gustaron las pizzas? | Sí, se las comieron todas.

¿Y los zumos? _____

¿Y el pastel?_____

¿Y los bocadillos? _____

¿Y el chocolate? _____

¿Y la tarta de manzana? _____

¿Y las galletas? _____

¿Y qué pasó con las sillas? _____

¿Y las bolsas de caramelos? _____

¿Y los coches del Scalextric? _____

¿Dónde están los pájaros? _____

4 Queremos hacer regalos a todos los compañeros y a todas las compañeras. ¿Cuál de estos regalos es más adecuado para cada miembro de la clase?

Las películas se las podemos regalar a Simon porque le gusta mucho Almodóvar.

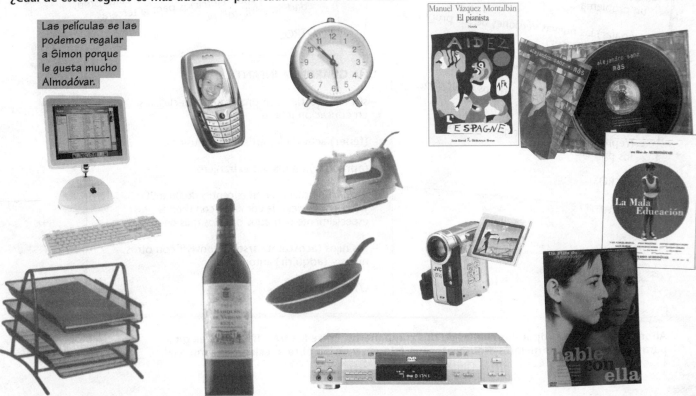

gente con ideas

5 Hoy Arturo no tiene ganas de pensar. Por eso deja que Carolina tome todas las decisiones y responde a las propuestas que ella le hace usando **cuando, a donde, donde, lo que, la que, el que, como, con quién...** + Subjuntivo.

¿Adónde podemos ir esta noche? ¿Al cine? | Vale, a donde tú quieras.

¿Y qué película podemos ir a ver?

¿A qué hora te parece mejor ir?

¿Y luego a qué restaurante vamos?

¿Arturo, con quién quieres que vayamos a Madrid?

¿Y cómo vamos? ¿En tren, en coche o en avión?

¿Qué le regalamos a Teresa para su cumpleaños?

¿Qué día quedamos con los de la clase de inglés?

6 Para convencer a un cliente hay que darle muchas razones. ¿Qué argumentos pueden dar estos establecimientos? Elige tres para cada uno y formúlalos.

Nuestros técnicos irán a su casa cuando usted tenga un problema.

UN GIMNASIO

– un médico especializado (**controlar**) todos los ejercicios que usted (**hacer**)

– cada mes (**tener**) derecho a dos masajes gratuitos

– (**disponer**) siempre del asesoramiento de monitores especializados

– (**poder**) participar en las clases de culturismo, mantenimiento, ejercicios para la tercera edad, infantil, *tai chi...*

– OTROS

UNA TIENDA DE INFORMÁTICA

– nuestros técnicos (**ir**) a su casa cuando (**tener**) un problema

– (**regalar**) las nuevas versiones de sus programas cuando (**aparecer**)

– le (**informar**) de todas las novedades

– le (**ofrecer**) siempre los precios especiales de cliente

– (**reparar**) su ordenador gratuitamente los primeros dos años

– OTROS

UNA GUARDERÍA INFANTIL

– sus hijos (**estar**) con profesores especialistas en educación infantil

– (**tener**) actividades artísticas y musicales

– (**aprender**) un idioma extranjero

– (**poder**) permanecer en el centro de 8h a 20h y (**tener**) servicio de comedor con menús especialmente pensados para los más pequeños

– sus hijos (**acostumbrarse**) a convivir con otros niños y (**adquirir**) autonomía

– OTROS

Ahora compara tus propuestas con las de dos compañeros. Entre los tres, tratad de elegir para cada empresa los mejores argumentos, un eslogan y un nombre adecuado y comercial.

7 Inventa, ahora, tú mismo posibles empresas. Crea eslóganes describiendo sus servicios y sus ofertas: usa para ello el Futuro. Entre toda la clase elegiremos los mejores, los más divertidos o los más convincentes.

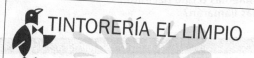

TINTORERÍA EL LIMPIO

¿SE VA DE VIAJE Y NO TIENE LIMPIO SU MEJOR TRAJE?

LLÁMENOS Y EN 30 MINUTOS LE IREMOS A BUSCAR SU ROPA SUCIA.

CLÍNICA GONZÁLEZ

¿Tiene problemas con la línea? Venga a visitarnos sin compromiso: le propondremos el mejor tratamiento para reducir peso.

8 Bautista, el recepcionista del Hotel Gentón, es muy servicial. Siempre responde a las peticiones de sus clientes con un **ahora mismo**, como en el ejemplo. Contesta a las preguntas que le hacen. Atención a los pronombres.

1. • ¿Puede pedirme un taxi?
   ○ Ahora mismo se lo pido.

2. • ¿Puede entregarme esta americana al servicio de tintorería?
   ○ _____

3. • ¿Podría mandarme estas postales por correo?
   ○ _____

4. • ¿Puede enviarme estos faxes?
   ○ _____

5. • ¿Podría subirme una botella de champán a la habitación?
   ○ _____

6. • ¿Puede hacerme unas fotocopias de estos documentos?
   ○ _____

7. • ¿Podría reservarme una mesa para esta noche en el restaurante Los pinos?
   ○ _____

8. • ¿Me guarda esta bolsa en el guardarropa?
   ○ _____

9. • ¿Puede darle este sobre al señor Puente, de la habitación 201?
   ○ _____

9 Completa los siguientes anuncios con pronombres de tercera persona: **se, le, lo, la...**

SI SU ORDENADOR HACE TIEMPO QUE SOLO ____ DA PROBLEMAS, NO ____ PIENSE MÁS: COMPRE UN PORTÁTIL INFORM. LOS ORDENADORES INFORM ____ FABRICAMOS PARA DAR SOLUCIONES A SUS PROBLEMAS.

NUEVO LAVAPLUS ____ DEJA LA ROPA MÁS BLANCA. SU ROPA ____ ____ AGRADECERÁ.

¡YA ESTÁ AQUÍ LA MUÑECA QUE TODOS LOS NIÑOS ESPERABAIS: CARMELA! TODA SU ROPITA ____ PODRÁS GUARDAR EN SU ARMARIO Y SUS COMIDAS ____ PODRÁS HACER EN SU COCINA. PÍDE ____ ____ A LOS REYES ESTA NAVIDAD.

¿QUIÉN HA DICHO QUE LAS NAVIDADES HAY QUE PASAR ____ EN EL FRÍO? ¿QUIÉN HA DICHO QUE A LOS REYES MAGOS HAY QUE ESPERAR ____ EN CASA? ESTAS NAVIDADES VENGA A CANARIAS.

gente con ideas

10 Escucha a estas personas que tienen ciertos problemas o que necesitan ciertas cosas. ¿A cuál de las empresas anunciadas llamarán?

	PROBLEMA	¿A qué empresa llamará?
1.		
2.		
3.		
4.		
5.		
6.		

CAMELIA
Flores y plantas.
Entrega a domicilio.
Tel. 954 569 836

INTERREPARACIONES
RECAMBIOS
DE TODAS LAS
MARCAS
Philips - Sanyo -
Sony - Miele - Bosch -
Siemens - NEFF
Tel. 609 33 44 55

TECNOMÓVIL
Concesionario
oficial SEAT.
Viriato, 12
TEL. 954 564 657

PEPE GOTERA
INSTALACIONES
ELÉCTRICAS Y
FONTANERÍA
Calefacción y gas.
Servicio de urgencias.
Tel. 689 893 308

FAST PIZZA
SERVICIO A
DOMICILIO
ELABORACIÓN
PROPIA
Pastas, pizzas
y helados.
Tel. 956 263 774

MEGALIMPIO
MANTENIMIENTO
Y LIMPIEZAS
INTEGRALES

Industriales y
domésticas.
Empresas,
comunidades de
vecinos,
hostelería.
Tel. 900 44 56 78

**AMBULANCIAS
ESTEBAN**
Servicio permanente
las 24h.
Tel. 609 67 23 43

**ASCENSORES
LA TORRE**
MANTENIMIENTO
Y REPARACIONES
TEL. 902 323 233

**TRANSPORTES,
MUDANZAS Y
GUARDAMUEBLES
DON PÍO**
Nacional e
internacional.
Tel. 953 34 55 67

11 ¿En tu país se hacen estas cosas? Contesta usando: **todo el mundo, la mayoría de personas, la mayor parte de los brasileños / italianos..., mucha gente, muchos jóvenes, casi nadie, nadie...**

– Comer en el trabajo al mediodía: Mucha gente come en el trabajo al mediodía, en la cantina de la empresa.

– Estudiar por la tarde en una escuela de adultos: _____

– Hablar varios idiomas: _____

– Esquiar: _____

– Ir a la iglesia todos los días: _____

– Comer comida rápida: _____

– Tener un ordenador en casa: _____

– Ir al trabajo en bici: _____

– Reciclar el papel: _____

– Ir a España de vacaciones: _____

– Viajar a Argentina: _____

– Tener una casa grande: _____

– Trabajar en casa: _____

– Tener un huerto: _____

– Tomar cerveza: _____

– Tener más de tres hijos: _____

– Usar gasolina sin plomo: _____

12 Piensa en cuatro establecimientos o empresas de las que antes eras cliente. Escribe las razones por las que usabas sus servicios.

> Yo iba mucho a un restaurante griego que se llamaba Mikonos. Se comía muy bien y barato.

13 Andrés, el mensajero de GENTE A PUNTO, habla con Ana, la encargada. ¿De qué pedidos están hablando? Fíjate en los pronombres OD que usan: **lo, la, los, las.**

1. a) unos medicamentos
   b) unas cervezas

2. a) unos pasteles
   b) una planta

3. a) unos libros
   b) unas bombillas

4. a) unos bocadillos
   b) unas pizzas

5. a) un pollo
   b) unas hamburguesas

14 La tía Carlota se ha ido a vivir a las Bahamas. Pero antes ha repartido sus cosas. ¿Cómo? Tú decides. Marca en el cuadro con una cruz seis casillas. Tu compañero tiene que adivinar qué casillas has marcado, pero solo tiene quince oportunidades.

- ¿Las joyas **te las** ha dejado a ti?
- No.
- ¿El perro **nos lo** ha dejado a nosotros?
- Sí.

	a su hija	a mí	a sus amigos	a Rosa	a nosotros
los libros					
el perro					
la casa					
las joyas					
la ropa					
los cuadros					

15 Vas a escuchar tres anuncios de GENTE A PUNTO. Pero antes, ¿puedes reconstruirlos con los elementos que te damos desordenados?

LOS DESAYUNOS DE GENTE A PUNTO: ___ ___ ___   GENTE A PUNTO CUIDA DE SU PERRO: ___ ___ ___

EL JARDÍN DE GENTE A PUNTO: ___ ___ ___

A Si usted no puede, "Gente a punto" le ayuda a cuidar de su perro. Cada mañana o tarde, nuestros chicos

B una llamada telefónica al 96 542 24 15. "Gente a punto" le pone las cosas fáciles.

C un ramo de flores, una planta o un centro de flor seca las 24 horas del día.

D sus bollos preferidos, la leche y el café, con solo

E pueden venir a buscarlo y pasearlo por diferentes zonas.

F Pueden pasar por su exposición en la calle Sta. María o bien llamar a "Gente a punto" al teléfono 96 542 24 15. "Gente a punto" le pone las cosas fáciles.

G Una nueva floristería se ha unido a "Gente a punto". Rosa María Segura quiere ofrecerles la posibilidad de pedir

H Incluso cuidar de él si se van de fin de semana o de vacaciones. "Gente a punto" le pone las cosas fáciles.

I Cada mañana puede recibir en su domicilio el periódico, el pan,

16 ¿Qué partidos políticos de España conoces? ¿Sabes a cuál corresponde cada uno de estos logotipos?

Ahora puedes crear tu propio partido político: inventa unas siglas y un logotipo. Prepara un discurso para leérselo a toda la clase. No olvides que los políticos utilizan el futuro.

EL PARO

LA DELINCUENCIA

**EL MEDIO
AMBIENTE**

LOS IMPUESTOS

LA EDUCACIÓN

LA SALUD

**LA SITUACIÓN
DE LA MUJER**

LAS PENSIONES

PARTIDO	ANAGRAMA
....	

Si ganamos las elecciones…

Cuando estemos en el gobierno…

Con vuestro apoyo…

Dentro de unos años...

FRASE FINAL DEL MITIN Y ESLOGAN:

....

17 ¿En cuáles de estas empresas invertirías tus ahorros? ¿Por qué? Completa el cuadro y razona, al menos con una frase, cada una de tus opiniones. Imagina qué costumbres tendrán los consumidores en el futuro.

> Yo en una librería no invertiría porque la gente cada día compra menos libros.

	SÍ	NO	PORQUE...
ACUAPEX (equipamientos y tecnología para la cría y reproducción de salmones, truchas y lubinas)			
NATUROMANÍA (grupo de escuelas de medicina natural)			
MUNDILENGUA (cadena de escuelas de idiomas)			
PHONUS (marca de teléfonos móviles)			
TURULETA S.A. (granja ecológica de gallinas)			
TRAVIATA (productora de discos de ópera)			
VISCONTI (salas de cine)			
TIJERAS (reparación de ropa a domicilio)			
UNIVERSOS (librería especializada en diccionarios y enciclopedias)			
FAUSTO GARCÍA (residencia de ancianos)			
EL TORO (cadena de carnicerías)			

En pequeños grupos, podéis tratar ahora de elegir las tres inversiones más seguras.

18 Fíjate en cómo suenan las vocales de estas palabras.

trabaja	gente	mini	modo	zulú	Ana	Elena	iris	oro
vudú	Panamá		bereber	brindis	zoológico		rumbo	

La tendencia natural es pronunciar las vocales de los idiomas que aprendemos según el sistema de nuestra lengua materna. Por eso te irá bien intentar contestar a estas preguntas.

¿Cuántas vocales diferentes has oído?

_____

¿Hay vocales largas y vocales cortas?

_____

¿Hay vocales que se pronuncian redondeando los labios? ¿Cuáles?

_____

¿Hay vocales que cambian durante su pronunciación, como por ejemplo "bear" en inglés?

_____

¿Hay vocales que se pronuncian expulsando parte del aire por la nariz? Es decir, ¿hay vocales nasales?

_____

Fonéticamente, ¿cuántas vocales diferentes hay en tu lengua materna? Pon ejemplos.

_____

¿En tu lengua hay vocales redondeadas?

_____

Ahora, vuelve a escuchar la cinta para comprobar tus respuestas. También puedes discutirlo con tus compañeros.

Así puedes aprender mejor

19 En las páginas del *Libro del Alumno* has leído frases como estas:

> ¿Se ha encontrado alguna vez en una situación en la que necesitaba ayuda doméstica urgente?

> ... una botella del mejor cava bien fresquito y listo para consumir...

> No importa. Descubrirá una empresa especial.

> Llámenos y le inscribiremos en nuestra lista de clientes preferidos.

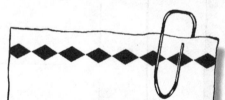

La zapatería virtu@l

Comodidad, rapidez y eficiencia

el Gato feliz

RESIDENCIA PARA ANIMALES DE COMPAÑÍA

**¿Hay palabras que no conocías y que has aprendido en esta secuencia?
Escribe unas cuantas y responde, para cada una de ellas, a estas preguntas.**

1. ¿Crees que conoces más de un significado de esa palabra?

2. ¿Sabrías dar en tu lengua los distintos significados que conoces?

3. ¿Conoces otras palabras relacionadas (**zapatería —> zapato, comodidad —> cómodo, feliz —> felicidad**)? ¿Cuántas?

4. ¿Hay alguna particularidad de la palabra, aparte de su significado (como el cambio ortográfico de **feliz/felices**; como la combinación fija de la palabra con alguna preposición o una forma verbal, por ejemplo, **listo para** + Infinitivo)?

5. ¿Hay alguna relación con palabras parecidas en tu lengua (misma forma y mismo significado, misma forma pero distinto significado)?

6. ¿Sabrías decir si se usa tanto en la lengua oral como en la escrita, o bien si es más propia de una de las dos?

> Como ves, aprender una palabra es mucho más que conocer su significado.
>
> Por otro lado, para recordar las palabras nuevas tenemos que utilizar algunas estrategias. Cada uno debe buscar sus propios trucos: anotar las palabras, procurar utilizarlas pronto, hacerse un pequeño diccionario personal, escribirlas con ejemplos de uso, relacionarlas con algo que ya se conoce, etc.

gente con ideas

Autoevaluación

Te será muy útil escribir tus impresiones tras cada unidad.
Puedes hacerlo tratando de responder a las siguientes preguntas.

¿Qué estructuras gramaticales de esta unidad quiero recordar?
¿Qué vocabulario me parece más útil?
¿Qué problemas he tenido?
¿Qué tipo de actividad me ha gustado más o me ha sido de mayor ayuda?
¿Cuál no me ha gustado? ¿Por qué?
¿Qué puedo hacer para practicar lo que he aprendido?

gente que opina

1 Vas a oír algunas opiniones sobre los temas que aparecen en la página 81 del *Libro del alumno*. Reacciona, según tus propios puntos de vista, usando las expresiones que proponemos en los globos.

1. _____   2. _____   3. _____   4. _____

5. _____   6. _____   7. _____   8. _____

Sin duda.

Sí, claro.

Desde luego.

Sí, yo también lo creo.

Sí, es probable.

Sí, puede ser.

No, no puede ser.

(Yo) no lo creo.

No estoy (muy) seguro/a de eso.

No, qué va.

No, no, en absoluto.

No, de ninguna manera.

2 Mira la imagen de la página 80 del *Libro de alumno*. Virgili, nuestro dibujante, ha imaginado cómo será la vida cotidiana en el futuro. Escribe ocho frases describiéndola.

> Virgili piensa que probablemente la gente viajará en pequeños aviones.

Si no estás de acuerdo con algunas cosas, escríbelo.

> Yo no creo que en el futuro haya tantos aviones. Contaminarían demasiado. Habrá coches eléctricos o con energía solar.

3 Lee los textos de la página 82 y completa después estas frases.
- Los CD desaparecerán cuando...
- No será necesario conocer el alfabeto cuando...
- No se tendrán que utilizar tarjetas de crédito u otros sistemas de identificación cuando...

Completa ahora estas otras frases con tu propia opinión.
- Dejaremos de utilizar ordenadores cuando...
- Desaparecerá el dinero en metálico cuando...
- Nadie hará cola para comprar entradas para el cine cuando...
- Las vacaciones serán de tres meses para todo el mundo cuando...
- Yo creo que seremos más felices cuando...

4 Coloca en el recuadro correspondiente estas formas para reaccionar ante la opinión de otros.

Sí, es probable. Sin duda. Yo no lo creo. De ninguna manera. Desde luego.	
Sí, puede ser pero… No, en absoluto. Sí, claro. No estoy muy seguro/a de eso. No, qué va.	

MOSTRAR ACUERDO	MOSTRAR DUDA O ESCEPTICISMO	MOSTRAR RECHAZO
Sin duda.		

5 Imagina que en una revista aparece esta previsión para tu signo del zodíaco.
Señala las cosas que no crees probables y las que te parecen imposibles.
Razónalo como en el ejemplo.

No creo que me aumenten el sueldo; ya me lo aumentaron el mes pasado.

No puede ser que me visite mi hija porque no tengo ninguna hija.

ESTE MES...

TRABAJO

◆ Tendrá problemas en el trabajo con una de sus jefas. Su carácter impulsivo le hará hablar demasiado. Pero, sin embargo, le aumentarán el sueldo y le mandarán a una delegación de su empresa en otra ciudad. Además, tendrá que hacer un largo viaje de trabajo a un país de habla hispana.

SALUD

◆ Fumará demasiado y comerá muchas golosinas porque estará muy nervioso. Sin embargo, como siempre, dormirá bien.
◆ Seguirá teniendo dolor de espalda y dolor de cabeza.
◆ Dejará de tener problemas digestivos.

FAMILIA Y RELACIONES

◆ Se enfadará con su suegra.
◆ Alguien le devolverá un dinero que le debe.
◆ Reencontrará a su mejor amiga de la infancia.
◆ Su hija le visitará.
◆ Tendrá que visitar, por un asunto de familia, a un cuñado que vive en el extranjero.

6 Imagina que has sido elegido alcalde de tu ciudad. ¿Qué medidas vas a adoptar? Elige ocho de estas u otras, las que creas más urgentes, y escribe una declaración para tus conciudadanos.

- plantar más árboles
- bajar los precios del transporte
- construir más hospitales
- animar la vida cultural de la ciudad
- ofrecer más actividades para los jóvenes
- prohibir el tráfico de coches en algunas calles
- crear un canal de televisión de la ciudad
- apoyar el uso de energías alternativas
- mejorar el sistema de reciclaje de basuras
- crear más carriles para las bicicletas
- construir viviendas baratas para jóvenes y parados
- cerrar...
- prohibir...
- construir...
- mejorar...
- OTRAS

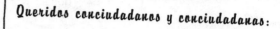

Queridos conciudadanos y conciudadanas:

Quiero, antes que nada, daros las gracias por haberme elegido para ser vuestro alcalde. Hoy empieza una nueva época en nuestra ciudad. Durante estos próximos cuatro años...

7 Estas son las costumbres que tenía Manuela Vega hace 20 años y las que tiene ahora. ¿Qué cosas sigue haciendo (o sigue sin hacer)? ¿Qué cosas ha dejado de hacer?

Sigue jugando al tenis, pero ha dejado de montar a caballo.

ACTUALMENTE

- Juega al tenis.
- Estudia japonés.
- No le gusta volar.
- Lleva ropa clásica negra y faldas largas.
- Sale con Genaro.
- Vive en Sevilla, en el barrio de Santa Cruz.
- Trabaja en una tienda de ropa.
- No está casada.

HACE VEINTE AÑOS

- Hacía mucho deporte: jugaba al tenis, montaba a caballo...
- Estudiaba inglés, japonés y ruso.
- No le gustaba volar.
- Llevaba faldas cortas y ropa negra.
- Salía con Arturo.
- Vivía en Sevilla, en el barrio de La Macarena.
- Trabajaba para una multinacional.
- No estaba casada.

gente que opina

8 ¿Qué conectores usarías para relacionar estas frases? A veces hay varias posibilidades.

por eso

sin embargo

total, que...

de todas maneras

aun así

entonces

además

pero

incluso

sino que

así que

Las vacaciones en la nieve salían muy caras y yo tenía bastante trabajo en casa...		no fuimos.
Álvaro no estudiaba nada...		sacaba muy buenas notas.
Para mí lo más importante es tener tiempo para mí mismo...		no he aceptado ser director de la agencia.
No estaremos muchos días en tu ciudad; y tendremos muchas reuniones...		te llamaremos. A lo mejor podemos vernos un rato o cenar juntos.
La calidad de vida no depende solo del dinero...		también viene dada por la vida afectiva, el tiempo libre disponible, el entorno...
No sabía nada de informática...		le contrataron en un banco.
Pronto no se podrá respirar en muchas ciudades...		tendremos que dejar los coches aparcados y usar los transportes públicos.
Es un nuevo método para tratar el cáncer que todavía no está muy experimentado...		parece que algunos gobiernos no lo han aprobado.
El alcalde ha declarado que mejorará los transportes públicos y la recogida de basuras...		no ha dicho nada sobre la enseñanza y la política fiscal.
Vivía en un barrio muy agradable, con zonas peatonales, jardines, casas bajas...		había un club deportivo y una piscina cubierta.

9 Continúa estas afirmaciones sacando conclusiones, contraponiendo informaciones, añadiendo puntos de vista... Fíjate en las expresiones señaladas.

En el año 2035 habrá muchos menos puestos de trabajo que actualmente. Los robots harán la mayor parte de todos los trabajos. **Así que...**

En el salón de nuestra casa podremos ver películas de cine en tres dimensiones. **Ahora bien, ...**

No necesitaremos llevar paraguas: habrá un mecanismo que regulará la lluvia. Y solo lloverá cuando el programa lo decida. **Incluso...**

No iremos de compras, nos conectaremos con el supermercado por medio de una red informática. **Pero, en cualquier caso, ...**

Las energías alternativas proporcionarán más del 50% de la electricidad que consumiremos. **De todas maneras, ...**

Las centrales de energía nuclear no serán necesarias. **Además, ...**

A mediados de siglo ya no habrá enfermedades contagiosas. **Sin embargo, ...**

La jornada laboral será de seis horas durante cuatro días a la semana. Las vacaciones, de 90 días al año. **Total, que...**

Antes del año 2050 la humanidad tendrá contacto con civilizaciones extraterrestres. **Así que...**

10 ¿Cómo ves tu futuro? ¿Crees que te pasarán estas cosas? Completa y transforma las frases usando expresiones que indican diferentes grados de probabilidad (A) y marcadores temporales (B).

Es probable que en un par de años me canse de estudiar español.

¿Qué harás cuando sucedan estas cosas?

Cuando me canse de estudiar español, empezaré a estudiar portugués.

Me cansaré de estudiar español.
Podré dejar de trabajar.
Me tomaré tres meses de vacaciones.
Encontraré al hombre / a la mujer de mi vida.
Hablaré muy bien español.
Encontraré un trabajo mejor.
Trabajaré desde mi casa.
Me iré a vivir al extranjero.
Tendré un hijo.
Me casaré.
Me cambiaré de casa.
Tendré más tiempo libre.

A

creo que...
tal vez...
es probable que...
no es probable que...
puede ser que...
no creo que...

B

el año que viene
en un par de años
pronto
nunca
dentro de muchos / ... años
cuando tenga ... años

11 Vamos a imaginar un robot que solucione nuestros problemas cotidianos. Elige las tres prestaciones que debe tener tu robot ideal. Puedes añadir otras.

planchar	ir a recoger a los niños al colegio	preparar el desayuno	lavar los platos
llevar las cuentas de la casa		hacerte ropa a medida	preparar tartas
sacar a pasear al perro	ir de compras		leer el periódico en voz alta
recitar poemas	regar las plantas		ordenar la ropa en los armarios
despertar por la mañana a tu compañero/a		hacer la cama	OTRAS COSAS

> Yo quiero un robot que planche, que prepare el desayuno y que cuide a los niños cuando yo salgo.

¿Cuáles son las cinco características que más pedís en clase? Si leéis vuestra selección, un alumno-secretario hará una estadística.

12 ¿Qué cosas ha cambiado el progreso? Piensa en cómo se hacían las cosas antes y en cómo se hacen ahora. Piensa, por ejemplo, en los siguientes temas.

> Antes muy poca gente viajaba de Europa a América, y lo hacían en barco. Ahora viaja mucha más gente, y lo hace en avión.

LOS TRANSPORTES **LA SALUD**

LA EDUCACIÓN **LA COMUNICACIÓN**

LA FAMILIA **EL OCIO**

13 **¿Puedes imaginar cómo evolucionarán estas cuestiones?**
Completa las frases usando los siguientes verbos.

| aumentar | empeorar | mejorar | desaparecer | cambiar | sustituirse por / sustituir a... |

continuar siendo / existiendo / creando....   imponerse   provocar   afectar a...

Las energías limpias   sustituirán a las tradicionales.
La desigualdad entre hombres y mujeres _____
El agujero de la capa de ozono _____
Los nacionalismos _____
La democracia _____
El hambre _____
La familia tradicional _____
El consumo de gasolina _____
El número de vegetarianos _____
Los movimientos pacifistas _____
El número de habitantes en mi país _____
El tratamiento del cáncer _____
El clima de la tierra _____
El fanatismo religioso _____
Las dictaduras _____
El teletrabajo _____
Las relaciones entre las diferentes culturas _____
El control de natalidad _____
La deforestación _____
El uso de PVC _____
Las alergias _____
Los trasplantes de órganos _____
Las epidemias _____

14 **Piensa en los cuatro problemas más graves que tiene actualmente tu país.**
¿Son algunos de estos? Señala cuáles y añade los que falten.

EL PARO   LA DESIGUALDAD ECONÓMICA   LA DELINCUENCIA

EL RACISMO   LA CONTAMINACIÓN   LA VIOLENCIA JUVENIL   LA FALTA DE ILUSIONES

LA CORRUPCIÓN DE LOS POLÍTICOS   LA FALTA DE LIBERTADES   LA SEQUÍA

LA DESIGUALDAD ENTRE HOMBRES Y MUJERES   EL FANATISMO POLÍTICO O RELIGIOSO

LA EMIGRACIÓN   LOS IMPUESTOS

LA SANIDAD PÚBLICA   LA BUROCRACIA   LA INEFICACIA DE LOS POLÍTICOS

Puedes comentar tus conclusiones con tus compañeros. ¿Estáis de acuerdo?
¿Qué pasará con estos temas en los próximos diez años? Escribe tus opiniones.

⑮ Estos son, según muchos científicos, algunos de los grandes peligros a los que se enfrenta nuestro planeta.

1 CALENTAMIENTO DEL GLOBO

2 DISMINUCIÓN DE LOS LOS RECURSOS NATURALES

3 CONTAMINACIÓN MARINA

4 CONTAMINACIÓN ATMOSFÉRICA Y AGUJERO EN LA CAPA DE OZONO

5 CRECIMIENTO DEMOGRÁFICO

6 DEFORESTACIÓN

Relaciona cada una de las frases siguientes con uno de los temas de arriba.

☐ El azufre y el nitrógeno despedidos por la industria y los motores se mezclan con el vapor de agua, el oxígeno y los rayos solares.

☐ La actividad humana y, en particular, el consumo de combustibles fósiles, está causando } un aumento de la temperatura de la Tierra, lo que origina numerosos problemas.

☐ Las naciones industrializadas utilizan una proporción mucho más grande de recursos que los países en vías de desarrollo.

☐ En muchas grandes ciudades la contaminación originada por los coches y por las industrias provoca graves problemas de salud a sus habitantes.

☐ La cantidad de residuos que el hombre arroja al mar ha aumentado radicalmente durante el último siglo.

☐ Aproximadamente 50 oleadas de algas tóxicas llegan a las aguas de Japón anualmente.

☐ La emisión a la atmósfera de ciertos productos químicos destruye la capa de ozono.

☐ Más de un millón de árboles se utilizan cada año para proporcionar los periódicos del domingo a los ciudadanos norteamericanos.

☐ Nueva Delhi, Beijing, Teherán y otras muchas ciudades están durante más de 150 días al año por encima de las recomendaciones de la OMS respecto a la cantidad de partículas en el aire.

☐ La mayoría de científicos creen que la temperatura media del mundo aumentará un grado hacia el año 2030 y cuatro a finales del siglo XXI.

☐ El crecimiento demográfico pone en peligro los recursos naturales de la Tierra.

☐ Las algas tóxicas es uno de los efectos más graves de la contaminación. Fertilizantes y desperdicios industriales han provocado un espectacular crecimientos de estas algas.

☐ Los bosques se talan para obtener madera y crear tierras de cultivo.

☐ Al desaparecer selvas y bosques, se reduce la biodiversidad y se erosiona el suelo.

Marca ahora aquellas frases con las que estás de acuerdo y organiza un texto.
Puedes usar las expresiones y los conectores que tienes a continuación.

en cuanto a	por ejemplo	además	sin embargo	por eso
respecto a		incluso	en cualquier caso	con lo que
sobre		por otra parte	de todas maneras	de modo que

16 Una vidente le ha hecho una premonición a Pancho Velarde. Escucha, toma notas y elige en cuál de estos personajes se convertirá. Razónalo.

> Yo creo que se convertirá en el segundo porque la vidente le dice que ganará mucho dinero.

Imagina que Pancho es muy viejito. Hazle preguntas para saber si la vidente acertó en todo. Usa tus notas. Puedes volver a escuchar la audición.

> ¿Es verdad que de joven viajó mucho? ¿Hizo de taxista?

17 Escucha la grabación y fíjate en cómo muestra desacuerdo o escepticismo el segundo interlocutor.

Escucha luego la segunda parte de la grabación y trata de hacer lo mismo para mostrar tu desacuerdo o tu escepticismo.

18 En grupos de cuatro, y con un dado, recorred el tablero. Debéis reaccionar a las opiniones de Martina. ¡No os quedéis callados!

Elton John es el mejor cantante del mundo. 1	El dinero es mucho más importante que la salud o el amor. 2	Tú eres la persona más inteligente de la clase. 3	Aprender español no es muy útil: lo importante es saber inglés. 4	España es el mejor lugar del mundo para pasar las vacaciones. 5

Algún día no será necesario salir de casa para comprar.

6

Es importante invertir dinero en la investigación espacial.

17

Todos los vicios son malos. Sin excepción.

7

Eso de las energías alternativas es una tontería.

16

Es mejor cambiar de pareja de vez en cuando. Una sola pareja es algo muy aburrido.

8

La tele es indispensable. Además, hay programas muy buenos.

15

Los amigos son más importantes que la familia.

9

Tener perros o gatos en un piso es una crueldad. 14	La energía nuclear es mejor porque es más barata. 13	Los hombres gorditos y calvos son los más atractivos. 12	La edad no depende de los años, sino del espíritu. 11	Las mujeres son muchísimo más inteligentes que los hombres. 10

Así puedes aprender mejor

19 Lee las frases y fíjate en las tres expresiones señaladas.

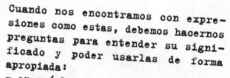

En la última cumbre internacional sobre el cambio climático, las grandes potencias no llegaron a ningún acuerdo sobre la reducción de emisiones de CO_2; **por tanto**, los países industrializados tendrán cuatro años más, hasta la próxima reunión, para reformar sus industrias más contaminantes.

Sabemos que este pesticida es perjudicial para la salud; **por tanto** debemos prohibirlo inmediatamente.

Es un país en vías de desarrollo. **No obstante**, sus industrias son competitivas y tiene una gran estabilidad política.

Este producto contamina mucho. **No obstante**, en algunos países aún no está prohibido.

Las leyes son ahora más duras; y los jueces, más severos. **De ahí que** muchas industrias estén controlando mejor sus residuos.

Es un material más barato que el papel. **De ahí que** se use para productos destinados al uso masivo.

Ahora responde a estas preguntas sobre cada una de ellas.

– ¿Qué tipo de relación expresa?

– ¿Cómo dices lo mismo en tu lengua?

– ¿Dónde se encuentra más fácilmente: en la lengua familiar y coloquial o en la lengua culta?

– ¿Dónde se coloca?

Cuando nos encontramos con expresiones como estas, debemos hacernos preguntas para entender su significado y poder usarlas de forma apropiada:
- en qué lugar del texto aparece,
- qué cosas pone en relación,
- con qué otras palabras o cuestiones gramaticales está relacionada,
- a qué tipo de registro o nivel de lengua pertenece.

En tu contacto con el español –con nativos o con textos auténticos– encontrarás inevitablemente muchas cosas nuevas, que no has estudiado. Buscar explicaciones para entenderlas es muy rentable. De hecho, es indispensable para seguir aprendiendo fuera del aula.

gente que opina

Autoevaluación

Te será muy útil escribir tus impresiones tras cada unidad.
Puedes hacerlo tratando de responder a las siguientes preguntas.

¿Qué estructuras gramaticales de esta unidad quiero recordar?

¿Qué vocabulario me parece más útil?

¿Qué problemas he tenido?

¿Qué tipo de actividad me ha gustado más o me ha sido de mayor ayuda?

¿Cuál no me ha gustado? ¿Por qué?

¿Qué puedo hacer para practicar lo que he aprendido?

gente con carácter

1 Rafael está pasando el verano en Irlanda, aprendiendo inglés en un colegio. Ha escrito una carta a sus padres en la que les explica cómo le va. Completa la carta con las siguientes palabras.

discutiendo	da	cae	hace	llevo	aguanto	entiendo

Queridos papá y mamá:

En el colegio estoy bastante bien y tengo ya algunos amigos. Me _____ muy bien con Juan y con Enrique, dos chicos muy simpáticos de Valencia. Pero hay otros dos a los que no _____. Hay uno, que se llama Íñigo, que siempre está _____ conmigo por todo. Y otro, Abel, que me _____ fatal.

Los profesores no están mal, me _____ bastante bien con ellos; aunque Andrew siempre me hace salir a la pizarra y a mí me _____ mucha vergüenza y entonces las cosas no me salen bien; y Sean, el de la tarde, nunca me _____ caso cuando intento hablar con él. Pero por lo demás estoy bien.

Un beso

Rafael

P.D: Mandadme algo de dinero, por favor.

2 Fíjate en esta foto de familia: es el día de la boda de Alba. Completa el texto imaginando cómo son las relaciones entre ellos.

– Alba se casa con _____ pero en realidad está enamorada de

_____.

– _____ no soporta a _____ porque _____

– _____ , aunque está casado/a con _____, se siente en realidad

muy solo/a desde que_____

_____.

– _____ es muy celoso/a porque tiene miedo de _____.

– El novio discute mucho con _____, sobre todo cuando

_____.

– Los padres de Alba querían casar a su hija con _____ pero él

_____.

– _____ se lleva fatal con _____ pero muy bien con

_____ porque _____

Crispín · Ascensión · Concepción · Agustín · Fermín · Trinidad · Piedad · Angustias · Ramón · Joaquín · Antón · Alba

gente con carácter

3 En los textos de la página 92 del *Libro del alumno* aparecen estas palabras.

| enajenación | flechazo | frenesí | imprevisible | exasperar | fugaz | desconcertante |

Aquí tienes las definiciones que el diccionario da de cada una de ellas. Búscalas de nuevo en los textos e intenta relacionar cada palabra con su definición.

1. *fig. y fam*. Amor que se concibe o se inspira rápidamente.

2. *fig*. Exaltación violenta del ánimo. Delirio furioso.

3. *fig*. De duración muy corta. Que huye o desaparece con velocidad.

4. *fig*. Acción y efecto de sacar a uno fuera de sí, turbarle la razón. / Acción y efecto de producir asombro o admiración.

5. *fig*. Irritar, enfurecer, dar motivo de enojo grande.

6. *adj*. Que no puede saberse o conocerse con anticipación.

7. *fig*. Que sorprende. Extraño, inaudito.

4 Algunas personas que han leído los textos de la página 92 han expresado estas opiniones. ¿A qué texto se refiere cada una?

	ELLOS Y ELLAS	AMOR Y PASIÓN
"Pues yo no creo que los hombres y las mujeres seamos tan diferentes."		
"Bueno, a veces dura poco, pero otras veces me parece que puede durar toda la vida."		
"Pues a mí me gustan hombres muy distintos y ninguno se parece a los que conocí de pequeña."		
"Tiene razón: siempre nos sorprende más una persona que no tiene nada que ver con nosotros."		
"Yo creo que no hay nada más fácil de entender que un hombre. Además, todos son iguales."		
"Pues si todo es química, habría que inventar una medicina para curarse."		

5 De las seis opiniones del ejercicio anterior, escoge una con la que no estés de acuerdo y explica por qué.

6 **¿Estar o tener?**

miedo	nervioso/a	sueño	vergüenza	deprimido/a	sed	tranquilo/a	triste
de mal humor	contento/a		preocupado/a	harto/a	celoso/a	hambre	celos

ESTAR

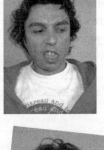

TENER

Escoge tres estados de ánimo y piensa una situación para cada uno.
Léesela después a tu compañero. ¿Puede adivinar qué estado de ánimo
o físico estás describiendo?

- Le ha tocado la lotería, ha encontrado trabajo
  y ha conocido a una persona que le encanta.
- ¿Está muy contento?

7 **¿Conoces a gente a la que le pasen estas cosas? Escribe el nombre de la persona o su relación contigo. Si no se te ocurre nadie, dilo también.**

Se lleva muy bien con sus hijos.

Es una persona totalmente imprevisible.

Con la edad se ha vuelto más estricto/a.

No sabe aceptar la forma de ser de los demás.

Respeta siempre los puntos de vista de todo el mundo.

Dice siempre la verdad.

Se enfada mucho, pero se le pasa enseguida.

No sabe decir que no.

Está siempre de muy buen humor.

Es muy celoso/a.

Tiene problemas con su suegra.

Son polos opuestos, pero se llevan muy bien.

Siempre se están peleando.

Una prima mía se lleva muy bien con sus hijos.

No conozco a nadie que sea totalmente imprevisible.

8 Escucha estas conversaciones y señala en el cuadro en cuál de ellas se dice que...

	1	2	3	4
Ella está embarazada.				
Se casaron hace seis meses.				
Son muy amigos.				
Tienen un problema con la ex novia de él.				
Él está deprimido porque no encuentra trabajo.				
Ella lo pasa fatal porque está entre los dos.				
Ella se ha enamorado de un amigo.				
Se llevaban bien, pero ahora discuten mucho.				
El padre y el hijo se llevan fatal.				
Hace tiempo que tienen problemas.				
Está muy rebelde.				
Viven los tres juntos.				

Ahora vuelve a oír las grabaciones y pon el nombre a cada uno de los personajes que aparecen en las cuatro ilustraciones.

¿A cuáles de estas personas atribuirías estos calificativos?

generoso/a   egoísta   comprensivo/a   irresponsable   idealista   sincero/

responsable   intolerante   anticuado/a   moderno/a

9 **¿Poco o un poco?** Fíjate bien en estos ejemplos. Las frases con asterisco (*) no son correctas.

*María es **poco** indecisa.   *Laura es **poco** falsa.   Alberto es **poco** abierto.   Carlos es **poco** simpático.

María es **un poco** indecisa.   Laura es **un poco** falsa.   *Alberto es **un poco** abierto.   *Carlos es **un poco** simpático.

¿Puedes completar ahora la regla?

> _____ se usa con adjetivos que tienen un significado positivo mientras que
> _____ se usa con adjetivos que tienen un significado negativo.

Intenta ahora hacer frases con estos adjetivos sobre personajes famosos de tu país.
Usa poco o un poco.

| antipático/a | raro/a | generoso/a | retraído/a | sociable | flexible | autoritario/a | loco/a |

10 **Estos cuatro amigos viven juntos, pero tienen algunos problemas de convivencia.**
Lee los textos y escribe todos los problemas que imagines que pueden tener.

PEPE

Le gusta muchísimo ver fútbol en la televisión; es del Real Madrid. Fuma mucho y le gusta comer hamburguesas y escuchar música hasta muy tarde. Es bastante tacaño en los gastos de la casa. Los animales, según él, deben vivir en el campo.

ALEJANDRO

Es un *gourmet* y un excelente cocinero, pero nunca friega los platos. Le encanta hacer fiestas en casa con muchos amigos y ver películas de miedo y los partidos del Barça en la televisión. Odia el olor del tabaco.

RICARDO

Es muy despistado: siempre se olvida de pagar su parte del alquiler y de limpiar el cuarto de baño cuando le toca. Tiene un perro, Bafú, al que le encanta comer hamburguesas crudas. Es bastante miedoso y nunca sale de casa sin su perro.

JOAQUÍN

Es el más sano de todos: solo come verduras y fruta. No le gusta nada la tele, sobre todo cuando ponen fútbol, y es un maniático del orden y de la limpieza. Se pasa horas al teléfono hablando con novias y amigos. Se acuesta todos los días muy pronto y no soporta el ruido.

– Pepe se enfada cuando el perro de Ricardo *se come sus hamburguesas.*

– Joaquín se pone nervioso si Ricardo...

– A Ricardo le da miedo cuando Alejandro...

– A Alejandro le da rabia que Pepe...

– Joaquín no soporta que Pepe...

...

11 Imagina que estás viviendo con Pepe, Alejandro, Ricardo y Joaquín (del ejercicio anterior). Después de unos meses de convivencia, ¿qué podrías escribir sobre vuestra relación? Completa las frases.

Me da lástima que _____

Me pongo muy contento/a cuando _____

Me enfado cada vez que _____

Lo paso muy mal cuando _____

Me da un poco de rabia que _____

Me pongo bastante nervioso/a si _____

No me gusta que _____

_____

_____

_____

12 Vas a oír a varias personas que hablan sobre los viajes en avión, pero el final de sus opiniones se ha borrado. ¿Puedes señalar cuál de estos finales corresponde a cada una?

1. a) cuando los aviones se retrasan y tengo que esperar.
   b) que se retrasen los aviones y tener que esperar.

2. a) hacer mal tiempo y moverse mucho el avión.
   b) si hace mal tiempo y el avión se mueve mucho.

3. a) los billetes de avión ser tan caros.
   b) que los billetes de avión sean tan caros.

4. a) estar tan lejos del suelo y no saber qué hacer en caso de emergencia.
   b) que esté tan lejos del suelo y no sepa qué hacer en caso de emergencia.

5. a) si viajo mucho y me puede pasar algo.
   b) que yo viaje tanto y me pueda pasar algo.

13 Escribe cinco adjetivos de la lista que tienes en el ejercicio 6 de la página 94 del *Libro del alumno*. Después vas a leérselos a tu compañero y él o ella tiene que decirte el adjetivo opuesto, sin mirar el libro. Ganará un punto por cada adjetivo que sepa.

⓮ Unas personas nos cuentan cambios que han sufrido diversos amigos suyos.
Completa las frases con los adjetivos o con los sustantivos que te parezcan adecuados.
Fíjate en los verbos que usamos.

1. Salva antes era muy sociable y tenía muchos amigos, pero ahora, desde que ha cambiado de trabajo,
   se **ha vuelto** muy antipático.

2. Cristina estaba tristísima porque su novio no iba a visitarla, pero ahora que la ha llamado para decirle
   que llega el viernes, se **ha puesto** _____.

3. Bill no tenía trabajo ni dinero, pero en los años 80 se **hizo** _____ vendiendo ordenadores y
   ahora, con tanto dinero, vive muy bien.

4. Los padres de Toño estaban tranquilos, pero ayer hablaron con la profesora de su hijo y se **quedaron**
   _____ porque el niño no va bien en el colegio.

5. Christian era un chico muy formal, estudiaba mucho y sacaba buenas notas en el Instituto. Cuando entró
   en la Universidad se **volvió** mucho más _____.

6. ¡Cómo ha cambiado Clara! Hace unos meses todavía jugaba con muñecas y, fíjate, ahora trabaja en un
   bar y sale con chicos: se **ha hecho** _____.

7. Carlos estaba anoche tan tranquilo en casa, pero cuando le llamé para decirle que el examen es la
   próxima semana se **puso** _____.

8. Me parece que Candela se **ha quedado** _____ porque no la has saludado.

9. Ignacio tiene ya dieciséis años. Y, claro, a esa edad los chicos se **vuelven** _____.

10. Los niños se **han puesto** muy _____ cuando han sabido que vamos a esquiar este fin de semana.

11. No sabía mucho de vino, pero después de tres años estudiando en Burdeos se **hizo** _____.

12. Ayer no le dolía nada pero hoy se **ha puesto** _____ y se ha quedado en cama.

⓯ ¿Volverse, hacerse, ponerse o quedarse?

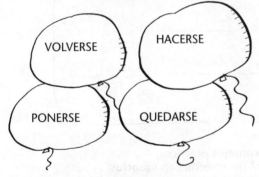

contento/a	nervioso/a	enfermo/a
afectado/a	impresionado/a	un/a experto/a
rebelde	preocupado/a	perezoso/a
muy mayor	un hombre / una mujer	rico/a
antipático/a	sociable	agradable triste
millonario/a	antipático/a	egoísta

⓰ ¿Y tú? ¿Recuerdas la última vez que te pasó algo así? Escríbelo.

– ponerse muy nervioso/a
– enfadarse mucho con alguien
– quedarse muy preocupado/a

– ponerse muy contento/a
– discutir en la calle
– pasar mucha vergüenza

Yo, hace poco, me puse nerviosísima porque fui a coger el coche y
había desaparecido. Al final resultó que estaba aparcado en otra calle.

17 La revista *El Cosmopolita* ha publicado este artículo. ¿Estás de acuerdo con todo lo que dice?

LOS 8 CONSEJOS BÁSICOS PARA UNA PRIMERA CITA

1 Es importante ponerse guapo, pero sin abusar del perfume o de la colonia.   *[Infinitivo]*

2 Es necesario lavarse los dientes y no comer ajos ni fumar: a la otra persona quizás no le guste el olor.   *[Infinitivo]*

3 Es aconsejable que el chico lleve dinero suficiente para invitar a la chica.   *[Subjunc]*

4 No es necesario que le cuentes todo sobre ti en la primera cita, pero sí que te muestres como una persona segura y con carácter.

5 Es mejor que no hables de tus ex y, sobre todo, no hagas comparaciones.   *[Subj]*

6 Para ganar la confianza de la otra persona es útil hablar de asuntos personales, de la infancia, mostrar en general una imagen sincera.

7 También es recomendable no decirle que te gusta: espera que la otra persona lo diga primero.   *[Infinitive]*

8 Y, para terminar, es bueno dejar que él o ella te llame por teléfono al día siguiente. Así la responsabilidad no recae sobre ti.

Ahora, subraya todas las construcciones **Es** + adjetivo + Infinitivo y señala con un círculo todas las construcciones **Es** + adjetivo + **que** + Presente de Subjuntivo.

¿Puedes escribir dos consejos más para una primera cita?

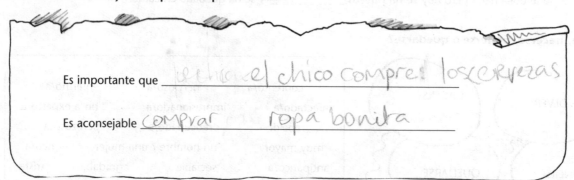

Es importante que _el chico compres las cervezas_

Es aconsejable _comprar ropa bonita_

18 Escoged, en parejas, uno de los siguientes temas y escribid cinco o seis consejos prácticos. Después se los vais a leer al resto de la clase. A ver si todo el mundo está de acuerdo con vosotros.

– Consejos para tener éxito en una entrevista de trabajo.

– Consejos para salir de una depresión.

– Consejos para tener éxito social.

– Consejos para organizar una buena fiesta.

– Consejos para la primera visita a los suegros.

– Consejos para llevarse bien con los vecinos.

19 Lee los consejos que reciben estas seis personas e imagina cómo contaron qué problema tenían.

1. ● _____
   ○ **Lo que tienes que hacer es** comprarte otra, esta me parece que ya no sirve para nada.

2. ● _____
   ○ Creo que **lo mejor es que** pases unos días en el campo, así podrás olvidarte de todo.

3. ● _____
   ○ Yo **te recomiendo que** no vayas, pero tú haz lo que quieras.

4. ● _____
   ○ **Deberías** quedarte en casa y no ir a trabajar.

5. ● _____
   ○ **Podrías** comprarlo mañana, y así no perdemos tiempo.

6. ● _____
   ○ Yo no **te aconsejo que** lo hagas; aunque si quieres, hazlo. Pero si después tienes problemas, no cuentes conmigo.

Fíjate ahora en las diferentes construcciones que han usado estas personas para dar un consejo y completa los dos cuadros.

Deberías
_____

_____

+ Infinitivo

_____

_____

_____

que + Subjuntivo

20 Cada uno de vosotros va a leer uno de estos problemas y después se lo va a contar a sus compañeros. Ellos os van a tener que dar consejos. ¿Cuál es el mejor?

Necesitas dinero: tienes que pagar el alquiler del piso mañana y no te queda nada en el banco. Hoy te has encontrado una cartera en la calle con 1500 euros, y la documentación dice que pertenece a un conocido millonario de tu ciudad. La verdad es que no sabes qué hacer.

Tu hija se ha quedado embarazada del chico más vago e inútil de tu ciudad. No trabaja ni tiene intención de trabajar. Pero los dos están muy enamorados y quieren casarse. Has intentado hablar con tu hija varias veces pero ella solo piensa en la boda y en su futuro hijo, y no te escucha. Necesitas consejo de tus amigos.

Tu suegra se ha mudado a una casa al lado de la tuya. Ahora se pasa todo el día en tu casa diciendo lo que tenéis que hacer y lo que no, dando instrucciones a todo el mundo y cocinando unos pasteles enormes. Estás ya bastante desesperado/a.

Has descubierto que un alumno de la clase es cleptómano. Ha robado ya varios bolígrafos, libros y cuadernos. El problema es que es muy amigo del profesor y no sabes a quién contárselo.

Así puedes aprender mejor

21 Escucha cómo lee María Inés estos poemas de Benedetti. Fíjate especialmente en cómo pronuncia las vocales que están señaladas en los textos e intenta leerlos tú igual.

Mi táctic**a es**
                    mirarte
aprender como sos
quererte como sos

Mi táctic**a es**
                    hablarte
y escucharte
construir con palabras
un puent**e i**ndestructible

Mi táctic**a es**
quedarm**e en** tu recuerdo
no sé cómo   ni sé
con qué pretexto
pero quedarm**e en** vos

Soñamos juntos
juntos despertamos
el tiemp**o** hac**e o** deshace
mientras tanto

no l**e** importan tu sueño
ni mi sueño

Fíjate ahora en este otro fragmento. Léelo en voz alta intentando relacionar las vocales como en los poemas anteriores y escucha después la grabación para comprobar si lo has hecho bien.

si te quier**o es** porque sos
m**i** amor mi cómplic**e y** todo
y en la calle cod**o a** codo
somos mucho más que dos

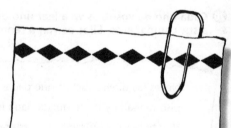

Para mejorar la pronunciación, es muy útil aprender de memoria poemas o canciones, fijándose bien en la entonación y en la relación entre las palabras. Puedes hacer una selección de textos en español que te gusten e intentar memorizarlos.

Escoge uno de los poemas de la página 98 del *Libro del alumno*. Apréndelo de memoria y practica el ritmo, la entonación y la pronunciación.

Autoevaluación

Te será muy útil escribir tus impresiones tras cada unidad.
Puedes hacerlo tratando de responder a las siguientes preguntas.

¿Qué palabras de esta unidad quiero recordar?

¿Qué estructuras gramaticales me parecen más útiles?

¿Qué problemas he tenido?

¿Qué tipo de actividad me ha gustado más o me ha sido de mayor ayuda?

¿Cuál no me ha gustado? ¿Por qué?

¿Qué puedo hacer para mejorar mi español hablado o escrito?

gente y mensajes

1 Lee estos mensajes que ha recibido Mariano y resume el contenido de cada uno. Puedes utilizar estos verbos: **invitar a, proponer, felicitar, avisar de, enviar, recordar, pedir.**

> Tobías Anasagasti lo invita a la inauguración de una exposición.

Papi:
Acuérdate de comprarme el cuaderno de dibujo que me prometiste.
Me lo traes el sábado cuando vengas a recogerme.
Besitos
Maruna

SEGUROS ORBIS

Ctra. Alicante, 44
tel: 94 737 46 32
fax: 94 737 46 46

28005 MADRID

MARIANO URBANO
DEPRISA
Bailén, 23

3 de abril

Muy Sr. nuestro:

Adjunto le remito, como acordamos telefónicamente, los documentos relativos a la póliza de seguros que DEPRISA tiene contratada con nosotros.
Le agradeceremos nos devuelva una de las copias firmadas.

Atentamente,
B. Valerio

Mariano:
¿Qué tal te va el viernes para jugar un partidito?
Tengo pista reservada a las 10h.
¡Dime algo!
Sebes

FAX

FAX de: Maite Gonzalvo

PARA: Mariano Urbano

Páginas incluida ésta: 1

Mariano:
La niña y yo estamos planificando las vacaciones de verano. Yo quiero que ella vaya un par de semanas a Irlanda. ¿A partir de qué día exactamente va a estar contigo? Llámame y lo hablamos.
Por cierto, felicidades. ¿No es un día de estos tu cumpleaños?

Maite

Tengo el placer de invitarle a la inauguración de la exposición "Miradas del sur" del pintor malagueño Emilio Santalucía, que tendrá lugar el próximo día 12 a las 19.30h en la sede central del Instituto Quevedo.

TOBÍAS ANASAGASTI

2 Ahora, escribe tú cuatro mensajes a Mariano, que es amigo tuyo. Debes...

1. recordarle que mañana tiene una cita contigo.
2. avisarle de que le has enviado unos paquetes.

3. felicitarle por su cumpleaños.
4. proponerle que vaya contigo a jugar al golf el fin de semana.

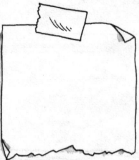
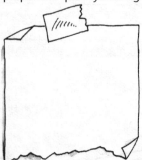

❸ En esta sopa de letras puedes encontrar los objetos que hay en los dibujos.

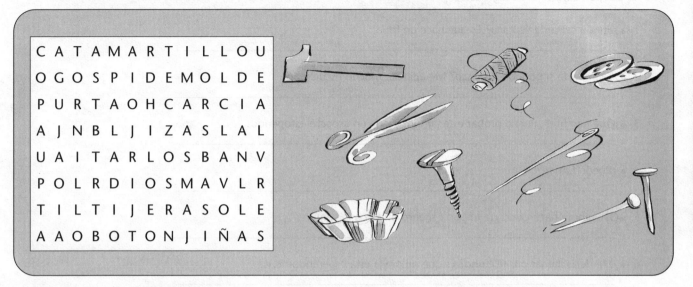

```
C A T A M A R T I L L O U
O G O S P I D E M O L D E
P U R T A O H C A R C I A
A J N B L J I Z A S L A L
U A I T A R L O S B A N V
P O L R D I O S M A V L R
T I L T I J E R A S O L E
A A O B O T O N J I Ñ A S
```

❹ ¿Cómo puedes pedir los objetos del ejercicio anterior a un vecino?
Explícale también para qué los necesitas.

Perdone, ¿podría dejarme unas tijeras, por favor?
Es que tengo que cortar un cable y...

❺ Todas estas fórmulas sirven también para pedir cosas.

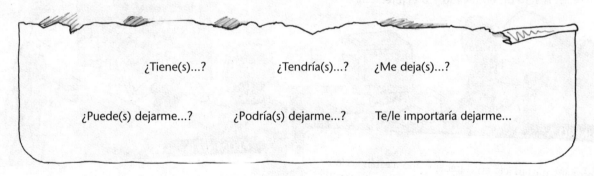

¿Tiene(s)...?   ¿Tendría(s)...?   ¿Me deja(s)...?

¿Puede(s) dejarme...?   ¿Podría(s) dejarme...?   Te/le importaría dejarme...

Elige una fórmula para cada una de estas situaciones y escribe la petición.

1. Un diccionario a un compañero en clase.   ¿Me dejas tu diccionario?

2. Dinero para el autobús a un amigo con el que tienes confianza.

3. Un bolígrafo al camarero de un bar.

4. El coche a un familiar.

5. El teléfono móvil a tu jefe en el trabajo.

6. Un jersey a un buen amigo.

7. El periódico a otro viajero en el tren.

6 Un familiar tuyo que está de visita en tu casa te pide permiso para hacer estas cosas. ¿Cómo puedes dárselo o denegárselo?

1. ● ¿Puedo cerrar la ventana? Es que hace un frío...
   ○ _____

2. ● ¿Te importa si pongo este disco? Me apetece mucho escucharlo.
   ○ _____

3. ● ¡Qué hambre! ¿Puedo probar este jamón? Tiene un aspecto estupendo.
   ○ _____

4. ● ¿Puedo fumar?
   ○ _____

5. ● Oye, ahora hace calor, ¿te importa si abro un poco la ventana?
   ○ _____

6. ● ¿Me dejas llamar por teléfono? Es que mi novia está esperándome y...
   ○ _____

7. ● ¿Puedo hacer los pasatiempos de este periódico?
   ○ _____

8. ● No se ve nada, ¿puedo encender la luz?
   ○ _____

7 Por parejas. A será un empleado y B el jefe.

ALUMNO A

Tu compañero es tu jefe en el trabajo. Ahora estáis en la oficina y quieres pedirle permiso para hacer estas cosas:

- bajar un momento a comprar algo para comer,
- hacer unas fotocopias,
- usar su teléfono móvil,
- poner la radio,
- usar su coche para ir al aeropuerto mañana.

> ¿Le importa si bajo un momento a comprar algo en la panadería? Es que no he desayunado nada en casa.

Después tu jefe te va a pedir que hagas algunas cosas.

ALUMNO B

Tu compañero es un empleado de tu empresa. Va a pedirte permiso para hacer algunas cosas. Dáselo, pero pídele a cambio de que él haga estas cosas:

- recoger a un cliente en el aeropuerto,
- pasar a máquina un informe,
- enviar dos correos electrónicos y tres faxes,
- traerte un café del bar,
- ordenar un poco la oficina.

> ¿Podría recoger al señor Starr esta tarde en el aeropuerto? Es que yo tengo una reunión.

8 Escucha y completa estos fragmentos de las conversaciones que Begoña, la secretaria de DEPRISA, ha tenido hoy.

1. ● Sí, dígame.
   ○ Soy Julio, de contabilidad…
   ● Ah, sí, dígame.
   ○ _____ me haga unas fotocopias por favor…

2. ● ¿Dígame?
   ○ Begoña...
   ● Sí, dime.
   ○ Oye, _____ ir un momento a comprar papel de regalo? Es que…

3. ● Dígame, señor Urbano.
   ○ ¿_____ un momento a mi despacho? Tengo que dictar unas cartas y mi secretaria no está…

4. ○ … Que está mi ordenador estropeado y no puedo hacer nada…
   ● Sí, ya he llamado pero comunican todo el rato.
   ○ Bufffff… Oye, pues ¿ _____ uso el tuyo un rato, cuando no lo necesites?

5. ● ¿Dígame?
   ○ Begoña, perdona, ¿ _____? Papel para la impresora.
   ● Papel, a ver espera...

Ahora, ordena en esta línea, de más a menos formal, las distintas fórmulas para pedir cosas que has escuchado.

+ FORMAL _____ _____ _____ _____ - FORMAL

9 Los señores Martínez acaban de recibir estas cartas de sus hijos. Léelas y fíjate bien en las informaciones marcadas. Después resume estas informaciones con los verbos del recuadro.

Queridos padres:
Os escribo desde México. Llegué hace dos días a Yucatán. Es un lugar fantástico. Deberíais venir alguna vez. La semana pasada estuve cenando con vuestros amigos Pablo y Mariví. Os envían muchos saludos. Os tengo que pedir un favor: ¿podéis enviarme 300 euros de mi cuenta del banco? He perdido la visa y casi no me queda dinero.

Bueno, un abrazo a los dos de vuestra hija,

Paloma

P.D: ¿Habéis visto a Carolina?

Queridos papá y mamá:

Antes que nada, **muchísimas gracias por acordaros de mi santo y mandarme el reloj.** Es precioso, de verdad. Os escribo para deciros que… **¡estoy embarazada otra vez!** El médico me ha dicho que ya es seguro y que nacerá en junio. **Clemente y yo estamos contentísimos.** Yo espero que esta vez sea niño, pero a Clemente le da igual. En cuanto nos arreglen el teléfono os llamo y os cuento más cosas. Pero **¿por qué no venís a vernos el mes que viene?**

Un besazo desde Pamplona,

Carolina
PD: **Nunca os compréis un móvil Fonitel, son malísimos.**

les anuncia que...   les recomienda que...
les agradece que...   les pregunta si...   quiere que...
les propone que...   les pide que...
les cuenta que...   les dice que...

Paloma les pide que le envíen dinero porque ha perdido la tarjeta de crédito.

10 Escucha lo que te dicen algunos amigos tuyos y decide, en cada caso, qué quiere cada uno de ellos.

1. a) Te pide que le llames por teléfono.
   b) Dice que va a llamarte por teléfono.

2. a) Te recomienda que vayas a su casa a cenar el jueves.
   b) Te invita a cenar a su casa el jueves.

3. a) Te pide permiso para usar tu ordenador.
   b) Te da las gracias por dejarle usar tu ordenador.

4. a) Te cuenta que hoy ha visto al ex novio de Rosana.
   b) Te pregunta que si has ido al cine con Francisco.

5. a) Te pide que leas la novela de Marías.
   b) Te recomienda que leas la novela de Marías.

6. a) Te recuerda que mañana es el cumpleaños de Carlos.
   b) Te dice que le compres algo a Carlos por su cumpleaños.

7. a) Te propone que vayas a pasar el fin de semana fuera.
   b) Te pregunta qué vas a hacer el fin semana.

11 Completa estas conversaciones con los pronombres o con los adjetivos posesivos necesarios.

- Nuestros hijos pasaron las vacaciones en un campamento de verano.
- Pues _____ se fueron unos días con sus abuelos a la playa.

- Perdone, ¿es _____ un coche rojo que está aparcado en la puerta?
- No, no, _____ está en la puerta, pero no es rojo.

- Mis espaguetis están fríos, ¿_____ también?
- Sí, la verdad es que no están muy calientes.

- Sr. Director, le he dejado los papeles en _____ despacho.
- Muchas gracias.

- Yo invertí _____ ahorros en acciones, pero mi marido prefirió invertir _____ en propiedades: compró un par de pisos en el centro.
- Pero… ¿cuánto dinero teníais?

- En nuestra casa hace un calor espantoso en esta época del año.
- Ah, ¿sí? Pues en _____ hemos puesto un aparato de aire acondicionado y se está muy bien.

12 Escribe la primera intervención de cada uno de estos pequeños diálogos.

1. • _____
   ○ Pues la mía nunca me dio problemas.

2. • _____
   ○ Sí, claro. ¿El vuestro no?

3. • _____
   ○ Pues en la nuestra no hace nada de frío.

4. • _____
   ○ Los tuyos también son muy bonitos, de verdad.

5. • _____
   ○ El nuevo de mi hermano también tiene *airbag*.

6. • _____
   ○ No, el suyo es marrón.

13 En parejas A y B. Haz frases sobre los temas que te proponemos y léeselas a tu compañero. Él tiene que reaccionar utilizando pronombres posesivos.

● En mi país el tiempo es muy malo en esta época del año.
○ En el mío también: llueve cada día.

ALUMNO A

– el tiempo en mi país

– lo que le gusta a mis hijos / padres / hermanos...

– mi perro / gato...

– los zapatos de tu compañero

ALUMNO B

– mi coche / bici / moto...

– mis vecinos y lo que hacen

– mi barrio

– la letra de tu compañero

14 Cuando llegas a casa, escuchas estos mensajes que hay en el contestador para Carmen, tu compañera de piso. Toma notas para poder contarle después a ella lo que dicen.

15 Hoy por la calle te has encontrado con estas personas y te han dicho estas cosas. Después, en casa, se las cuentas a Carmen, tu compañera de piso.

Sra. María

1. Oye, has engordado un poco, ¿no? ¿Por qué no haces la dieta que hice yo? A mí me fue muy bien.

Manolo

2. ¿Os apetece a Carmen y a ti venir a cenar a mi casa? Yo cocino y vosotros traéis el vino, ¿vale?

Edu

3. ¿Podrías dejarme tu coche este lunes? Es que llega mi madre al aeropuerto por la tarde y tengo el coche en el taller.

Carlos

4. Dile a Carmen que mañana le llevo los libros que me prestó.

1. He visto a la señora María y...

2. _____

3. _____

4. _____

16 **¿Cuáles pudieron ser las palabras originales?**

1. Jorge: "_____"
   Jorge me ha aconsejado que haga un curso de informática. Dice que es muy práctico.

2. Marta: "_____"
   Ha llamado Marta para pedirme el libro de cocina que compré en Italia.

3. Rosa: "_____"
   Rosa pregunta en su carta que si vamos a ir a visitarla este verano.

4. Luis: "_____"
   Me ha dicho Luis que le lleve mañana a la oficina los discos que me dejó.

5. Pedro: "_____"
   Pedro va y me pregunta esta mañana que desde cuándo tengo novio. ¡Y a él qué puede importarle!

17 **Lee el siguiente diálogo e intenta después reconstruir la postal de la que hablan Mabel y Ramón.**

- Ramón, mira, Ana me ha mandado una postal desde México.
- ○ ¿Y qué cuenta?
- Nada, que está allí pasando unos días con unos amigos y que lo está pasando muy bien.
- ○ ¿Y con qué amigos se ha ido?
- No sé, en la carta solo habla de Javier y de un tal Lucas, que vive en ciudad de México y tiene también una casa en Oaxaca.
- ○ ¿No dice cuándo va a volver?
- No, dice que ya nos llamará, pero pide que por favor pasemos por su casa a sacar el correo del buzón.
- ○ Y que demos de comer al gato, claro.
- No, del gato no dice nada, pero manda recuerdos para ti.

18 **En grupos. Escribe en un papel una petición para un compañero. Tu compañero va a intentar explicar a los demás, sin hablar (con mímica o dibujando), lo que le has pedido hasta que alguien lo descubra. Una condición: los miembros del grupo tienen que empezar sus intervenciones con Te ha pedido que...**

Así puedes aprender **mejor**

PORTFOLIO

19 Reflexiona sobre cómo escribiste la postal del ejercicio 17 y, en general, sobre cómo realizas las tareas de escritura. ¿Qué tipo de escritor eres? Responde a las siguientes preguntas. Luego, discute con tus compañeros cuáles son las mejores estrategias para aprovechar más las actividades de escritura.

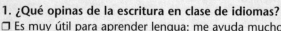

1. ¿Qué opinas de la escritura en clase de idiomas?
❑ Es muy útil para aprender lengua: me ayuda mucho a fijar cosas.
❑ Me ayuda a fijar algunas cosas de gramática y de vocabulario.
❑ No creo que me sirva de nada. Prefiero hablar. Escribir es un rollo.

2. ¿Dónde buscas ayuda para escribir un texto?
❑ Busco textos parecidos como modelos.
❑ A veces busco textos, pero no siempre.
❑ Escribo directamente. No necesito ningún modelo. Lo importante es ser original.

3. ¿Qué herramientas utilizas?
❑ Diccionarios.
❑ Gramáticas y diccionarios.
❑ La inspiración y un bolígrafo.

4. ¿Cómo planificas el trabajo?
❑ Escribo directamente el texto final.
❑ Hago primero una lista de temas que voy a tratar, un esquema y uno o varios borradores.
❑ Hago un borrador y luego lo paso a limpio.

5. Cuando revisas el borrador... ¿Haces muchos cambios?
❑ Cambio muchas cosas, incluso de estructura, porque se me ocurren nuevos temas y nuevas maneras de decir las cosas.
❑ No cambio casi nada, solo algún detalle. La primera versión siempre me parece mejor.
❑ Corrijo algunas cosas para mejorar la ortografía y la gramática.

Enfrentarnos a una hoja en blanco cuando tenemos que elaborar un texto escrito no es fácil, incluso en nuestro propio idioma. Y todavía resulta más difícil si tenemos que escribir en una lengua que estamos aprendiendo. Es bueno reflexionar sobre cómo lo hacemos para poder mejorar nuestras estrategias y para sacar más provecho de las actividades de escritura. Así, iremos ampliando nuestra capacidad de escribir en español.

Autoevaluación

Te será muy útil escribir tus impresiones tras cada unidad.
Puedes hacerlo tratando de responder a las siguientes preguntas.

¿Qué estructuras gramaticales de esta unidad quiero recordar?
¿Qué vocabulario me parece más útil?
¿Qué problemas he tenido?
¿Qué tipo de actividad me ha gustado más o me ha sido de mayor ayuda?
¿Cuál no me ha gustado? ¿Por qué?
¿Qué puedo hacer para practicar lo que he aprendido?

11 EJERCICIOS

gente que sabe

1 Aquí tienes seis imágenes relacionadas con Argentina. ¿A qué crees que corresponden? Escucha la grabación y señala en qué orden habla María Inés de ellas.

☐ _____

☐ _____

☐ _____

☐ _____

☐ _____

☐ _____

2 Vas a escuchar a un español, a una argentina y a una mexicana comentando cuáles son los mayores problemas de sus países. ¿A cuáles de estos hacen referencia?

	PAÍSES
la superboblación de la capital	
la corrupción de los políticos	
la delincuencia	
la contaminación	
el terrorismo	
el desempleo o paro	

3 Amalia va a comer a un restaurante argentino con su amigo argentino Fabián y comentan la carta. Hablan de platos que seguramente no conoces pero Fabián explica qué es cada uno.

¿Qué es el asado de tira? ¿Carne o pescado?

¿Qué puede ser el chimichurri? ¿Una verdura o una salsa?

¿Milanesas es un plato de carne o de pasta?

¿Qué es bife a caballo?

¿Qué es el dulce de leche?

¿Qué es el durazno?

4 Lee individualmente este texto sobre Argentina y prepara cuatro preguntas para formular a tu compañero. Después, intercambiad las preguntas. Cada uno tiene 3 minutos para encontrar la respuesta en el texto.

¿Cuántas provincias tiene Argentina?

ARGENTINA

■ GEOGRAFÍA

País de América del Sur situado en la parte meridional del continente. Se extiende desde la Cordillera de los Andes hasta el Océano Atlántico. Por el norte, llega desde los 22' hasta los 55' de latitud, con una extensión de 3,8 millones de km², de los cuales 2,8 son continentales y el resto están en el sector antártico. Limita al oeste con Chile, separado por la cordillera de los Andes; al norte, con Bolivia, Paraguay y Brasil; al este, con Paraguay, Uruguay, Brasil y el Océano Atlántico; y al sur, también con Chile.

Por su extensión es el segundo estado de Sudamérica. La mayor parte del territorio está situado en la zona templada, región óptima para el desarrollo agropecuario, lo que posibilita una excelente inserción en la economía mundial.

En su topografía encontramos los tres elementos básicos del relieve sudamericano: mesetas arcaicas, llanuras y cordillera.

Al norte encontramos el altiplano, caracterizado por su relieve macizo y representado por la Punta de Atacama, de 4000 m.

En los Andes centrales argentinos se encuentran los picos mas altos de toda América: el Aconcagua (6959 m) y el Tupungato (6800 m), entre otros. Paralelamente, corre una cadena donde encontramos el Aconquija, de 5450 m.

La zona de llanuras está dividida en tres áreas importantes: el Chaco, la Pampa húmeda y, al este, entre los ríos Paraná y Uruguay, la Mesopotamia. Los principales ríos son: el Paraná (con una longitud de 3780 km) y el Uruguay, que forma un límite natural con Brasil y Uruguay.

De la confluencia de los ríos Paraná y Uruguay nace el Río de la Plata; su longitud es de solo 275 km y su ancho máximo de 200. En la zona patagónica tienen especial importancia los ríos Negro y Colorado. El primero nace de la confluencia de los ríos Limay y Neuquén y después de recorrer 730 km desemboca en el Océano Atlántico.

■ POBLACIÓN

La mayor parte de su población son inmigrantes latinos (italianos, españoles y franceses). Los años 1906 y 1910 fueron los más importantes en cuanto a llegada de inmigrantes. Es el país con mayor número de habitantes de América del Sur después de Brasil: tiene aproximadamente 35 millones de habitantes.

La provincia de Buenos Aires y su capital federal albergan más del 50% de la población nacional y el resto está distribuido principalmente entre 8 ciudades, situadas en su mayoría en el centro del territorio. La población blanca es mayoritaria, pero existe un porcentaje de indígenas (mapuches, collas, tobas y chiriguanos) cercano al 0,5%.

La religión oficial es el catolicismo, pero se practican otras como la protestante, la judía, la islámica, las ortodoxas griega y rusa, etc.

El idioma es el español, pero hay algunas zonas que conservan algunas raíces indígenas; también se hablan el guaraní, el quechua, etc. El gobierno del país es de organizacion federal y democrática, con 23 provincias y la Capital Federal.

La mitad del suelo está cubierto por cultivos de cereales (trigo, maíz, cebada, centeno, arroz), principalmente en la zona central del país, Córdoba, provincia de Buenos Aires y Santa Fe. Mendoza y San Juan tienen una importante producción de vides; Chaco, de algodón; Formosa, Misiones, Salta y Jujuy, de tabaco y cítricos. Dentro de la economía argentina, la producción mas desarrollada es la ganadera. Todo su potencial mineral se centra en el sector andino.

■ DEPORTES

Casi la totalidad de sus habitantes son simpatizantes o fanáticos de algún equipo de fútbol. Los más conocidos son Boca Juniors y River Plate; entre ellos existe una gran rivalidad. No obstante, dada la gran extensión del territorio y sus distintos climas y accidentes geográficos, se pueden practicar todo tipo de deportes, en especial los de aventura y en contacto con la naturaleza: esquí, *rafting*, pesca, buceo, *windsurf* y caminatas por caminos andinos inexplorados.

5 ¿Te gustaría pasar un año en Argentina? ¿Por qué? Responde interpretando y comentando la información que se da en el texto.

6 Las siguientes personas quieren perfeccionar su español en México D. F. Decide si esta escuela tiene alguna oferta adecuada para cada uno y di por qué.

HANS: Es traductor e intérprete y ya sabe mucho español. Ahora quiere ser profesor de español.

VERA: Su empresa, un banco, la ha destinado tres años a México D.F. Trabaja todo el día hasta las 20h. Ya ha estudiado dos años español.

CHRISTIAN: Quiere pasar unas vacaciones y estudiar un poco de español. No sabe nada. Es estudiante y tiene poco dinero.

LEE: Es ingeniero y necesita trabajar en español. Quiere progresar muy rápidamente en poco tiempo.

Escuela de español para extranjeros TEOTIHUACÁN
Estudie Español en México D. F.

Los alumnos pueden registrarse en cursos semanales, tantas semanas como lo deseen, en las diferentes modalidades:

- Cursos intensivos
- Cursos extensivos
- Cursos privados
- Español para viajeros

El material didáctico está incluido en las tarifas de inscripción.

Hay 6 niveles: A1, A2, B1, B2, C1, C2; con un total de 100 horas de clase por nivel. Se evalúa el conocimiento de los estudiantes en una entrevista oral y una prueba escrita.

En las clases se combinan las actividades comunicativas con la práctica gramatical, y se practican todas la habilidades lingüísticas: escritura, lectura, comprensión auditiva y conversación para lograr un aprendizaje del idioma rápido y eficaz.

● **CURSOS INTENSIVOS**
La clases se inician todos los lunes del año. 5 sesiones diarias de 50 minutos. Cuatro semanas por nivel.

● **CURSOS EXTENSIVOS**
8 horas de clase semanales en 4 sesiones de 2 horas (lunes-jueves).

● **CURSOS PRIVADOS**
Planificados especialmente para aquellos alumnos que deseen un programa especial de acuerdo con sus necesidades profesionales particulares. El horario en esta modalidad lo establece el alumno.

● **ESPAÑOL PARA VIAJEROS**
Cursos de dos semanas, 5 horas al día.
Programados para aprender a resolver las necesidades comunicativas básicas en un viaje de turismo.

● **ALOJAMIENTO**
Se recomienda el alojamiento con familias, lo que proporciona al alumno una situación de inmersión lingüística y cultural que le será muy favorable para sus progresos en el idioma.
La escuela selecciona cuidadosamente familias mexicanas que ofrecen a los estudiantes un ambiente acogedor y cómodo. Los precios de alojamiento con familias, por semana, son:
- habitación individual: 90 US$
- habitación doble: 149 US$

● **EXCURSIONES Y VISITAS**
– Pirámides de Teotihuacán
– Museo de Antropología (arte precolombino)
– Chapultepec
– Basílica de Guadalupe
– Jardines de Xochimilco
– Acapulco

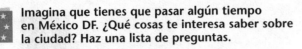

Imagina que tienes que pasar algún tiempo
en México DF. ¿Qué cosas te interesa saber sobre
la ciudad? Haz una lista de preguntas.

Ahora lee este texto y mira si encuentras algunas
de las respuestas.

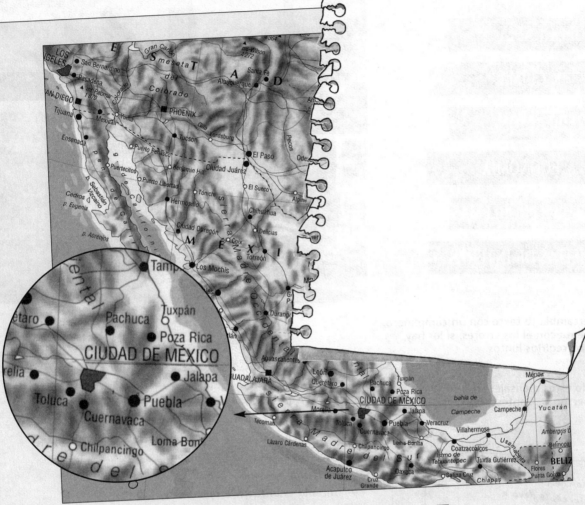

MEXICO D.F.

Situada entre montañas y lagos, la
capital de los Estados Unidos
Mexicanos es una ciudad apasionante
en la que, con sus 20 millones de
habitantes, caben los mayores
contrastes: la tradición popular e
indígena y la vitalidad de una gran
metrópoli.

UBICACIÓN: en el centro del territorio
mexicano, situada entre dos cadenas
montañosas (99° 09' longitud oeste, 19° 24'
latitud norte).

ALTITUD: 2,240 metros sobre el nivel del mar.

CLIMA: Semiseco templado.

POBLACIÓN: 20 millones en el área metro-
politana (se calcula que llegan 2000 personas
diariamente a la ciudad).

EXTENSIÓN: 3,129 km².

UNA MARCA: la calle más grande del
mundo, Insurgentes, con 25 kilómetros.

OTRAS CIFRAS:
– 2,6 millones de vehículos automotores
– 316 000 empresas (80% de las totales
  del país)
– 344 hospitales
– 25 000 cuartos de hotel
– 161 museos
– 30 salas de conciertos
– 106 galerías de arte
– 107 cines
– 30 millones de metros de áreas verdes

7 Imagina que la revista GENTE DE VIAJE quiere presentar tu país de origen, tu región o tu ciudad. Busca información y anótala junto con las cosas que ya sabes. Con ese material, escribe un pequeño texto. Puedes tratar, entre otros, los temas que te proponemos.

GEOGRAFÍA

CLIMA

POBLACIÓN

ECONOMÍA

PRINCIPALES PROBLEMAS

VISITAS DE INTERÉS

Ahora, intercambia tu texto con un compañero. Luego comenta con él los errores, si los hay, e intentad corregirlos juntos.

8 Has recibido estos mensajes de varias personas. Contéstalos.

El próximo sábado por la noche celebramos mi cumpleaños en casa. Será una pequeña fiesta, a partir de las 8.30 h, con algo para cenar, música y gente divertida.
¿Te apetece venir?
A mí me encantaría verte.
Confírmamelo, por favor.

María

Tu ordenador no funciona nada bien. Si quieres, lo llevo a arreglar o llamo al servicio técnico. Ha llamado el Sr. Benabarre y me ha pedido tu teléfono particular. ¿Se lo puedo dar? Ha dicho que volverá a llamar. Déjame una nota con instrucciones.

Carlos

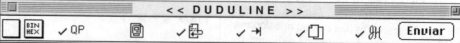

<< DUDULINE >> ☐ BIN HEX ✓QP ☐ ✓☐ ✓→ ✓☐ ✓☐ [Enviar]

Asunto: Mi Buenos Aires querido
Fecha: 15/04
De: Nuriline
Para: Duduline

Ya hemos llegado a Buenos Aires. Es una ciudad muy interesante. Nuestros amigos argentinos, Lucho y su familia, nos han recibido maravillosamente y creo que lo vamos a pasar muy bien. Dentro de tres días nos vamos a la Patagonia y estaremos unos días "desconectados".

Besos para todos.

9 ¿Cuál sería la reacción más adecuada para responder a las preguntas que oirás?

1. **a.** No lo sabía.
    b. Ya lo sé.
    c. Es una cosa para beber, creo.

2. **a.** Nada, no me pasa nada, estoy bien...
    b. Me lo he pasado mal.
    c. No lo encuentro.

3. **a.** Me parece bien.
    b. Sí, yo no me llevaría nada bien con ella.
    c. ¿De qué especialidad?

4. **a.** Yo tampoco.
    b. No es demasiado.
    c. A mí no me gustaría.

5. **a.** Pues no tengo ni idea.
    b. No es la misma.
    c. Tiene 34.

6. **a.** El verano pasado.
    b. Ya he ido.
    c. No fui.

7. **a.** No creo.
    b. Poco.
    c. No, ¿por qué?

8. **a.** Yo no iba.
    b. Yo viajando, hablando con amigos españoles.
    c. No sé español.

9. **a.** ¿Te va bien a las 7h?
    b. Nos quedamos aquí.
    c. Me quedo hasta las 6h.

10. **a.** Es bueno.
    b. ¿Y para qué sirve?
    c. No lo sé.

11. **a.** De cualquier material, pero que sea grande y fuerte.
    b. No es de madera, es metálica.
    c. Negros.

12. **a.** Fuimos a cenar a casa de unos amigos.
    b. No estábamos ahí.
    c. No estuvimos anoche sino anteayer.

13. **a.** Sin duda.
    b. Tengo una duda.
    c. Dudo que sí.

14. **a.** Ah, ¿sí? ¿Qué les ha pasado?
    b. No se les ha pasado.
    c. ¿Qué os pasa?

10 En parejas vais a imaginar que estáis en una de las siguientes situaciones. Tenéis que hablar al menos tres minutos. Repartíos los papeles y preparad vuestros argumentos. Luego, tendréis que representar la situación delante de toda la clase.

SITUACIÓN 1

ALUMNO A
Has decidido emigrar a un país extranjero (decide cuál). Prepara tus razones y coméntaselo a tu compañero.

ALUMNO B
Tu compañero ha decidido irse a vivir a un país extranjero. Tú crees que no es una buena idea. Prepara tus argumentos y consejos y coméntalo con él.

SITUACIÓN 2

ALUMNO A
Estás pasando una crisis personal y en el trabajo. No te apetece hacer nada, necesitas un cambio y no sabes qué hacer, pero no te apetece mucho cambiar de país.

ALUMNO B
Tu compañero está pasando una crisis. Tú crees que lo mejor es que se vaya a algún país extranjero una temporada. Recomiéndale varios e intenta convencerle.

SITUACIÓN 3

ALUMNO A
Has recibido una herencia de un tío tuyo. Quieres comprarte una casa de vacaciones, ropa, viajar por el mundo y repartir dinero con los amigos.

ALUMNO B
Tu compañero ha recibido una herencia de muchos millones. Intenta convencerle de que lo mejor es invertir el dinero en cosas seguras y donar parte a alguna ONG.

Los demás alumnos escuchan y tratan de anotar faltas de los compañeros para comentarlas después.

11 Vas a hacer una entrevista a tu profesor o a un compañero. Debes preguntarle sobre los temas que te proponemos. Prepara un borrador del cuestionario por escrito. Luego, hazle la entrevista sin leer tus notas.

– problemas de su profesión

– hábitos diarios

– aficiones

– carácter

– el viaje más interesante que ha hecho

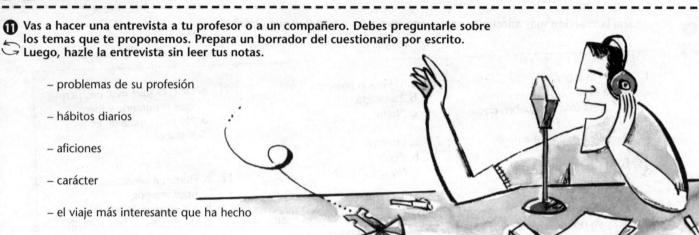

12 Pedro dice estas frases. Imagina contextos posibles.

Alguien pregunta a Pedro si sus padres aún están enfadados con él porque no aprobó un examen y él les dice...

"Ya se les ha pasado."
_____

"Se lo dio el jueves."
_____

"Quedan unos cuantos."
_____

"No lo aguanto."
_____

"Se llevarían bien."
_____

"No, no me gustaría."
_____

"Me pareció aburrida."
_____

"Fue en la Universidad."
_____

"Me las tomaba todas las noches. "
_____

"Se las llevas a Emilia."
_____

"Yo no lo sabía."
_____

13 Aquí tienes un test sobre 25 palabras que han aparecido en el *Libro del alumno*. Elige, en cada caso, la mejor opción.

1. Pasamos las vacaciones en un _____ muy bonito, en el norte de España. Está cerca del mar, pero en la montaña.
- ❏ lugar
- ❏ región
- ❏ puesto

2. Mañana por la noche no podemos, vamos a _____ a casa de unos amigos. ¿Por qué no quedamos el viernes?
- ❏ almorzar
- ❏ desayunar
- ❏ cenar

3. Tengo muchas ganas de _____ unas vacaciones en Menorca. Me han dicho que es una isla preciosa.
- ❏ estar
- ❏ pasar
- ❏ tener

4. Es una persona encantadora. Es simpática, amable y tiene mucho _____.
- ❏ sentido del humor
- ❏ defecto
- ❏ interés

5. Su mejor _____ es que sabe escuchar a los demás.
- ❏ aspecto
- ❏ cualidad
- ❏ manía

6. Yo no soporto los concursos de la tele. Los _____. Me parecen todos muy infantiles.
- ❏ aguanto
- ❏ paso
- ❏ odio

7. Ana y su suegra no _____ nada bien. Siempre están discutiendo por cualquier cosa.
- ❏ se van
- ❏ se portan
- ❏ se llevan

8. El peor defecto de Susana es _____.
- ❏ el egoísmo
- ❏ el orden
- ❏ la honestidad

9. Para trabajar en este tipo de empresa hay que _____ varios idiomas.
- ❏ poder
- ❏ tener
- ❏ saber

10. A Gustavo le he comprado una corbata de su color _____, el verde.
- ❏ mejor
- ❏ favorito
- ❏ que gusta

11. Le han dado un premio Goya por su trabajo como mejor _____ secundaria.
- ❏ actora
- ❏ actante
- ❏ actriz

12. En las conversaciones con españoles o latino-americanos, noto que todavía tengo que _____ mucho español.
- ❏ saber
- ❏ conocer
- ❏ aprender

13. Hace dos meses que _____ por la bronquitis, pero todavía tengo mucha tos.
- ❏ terminé fumando
- ❏ dejé de fumar
- ❏ sigo sin fumar

14. Actualmente no es fácil vivir de una forma sana. Los alimentos no son naturales, vivimos en grandes ciudades, sufrimos mucho estrés... Pero yo creo que se puede _____.
- ❏ tener
- ❏ intentar
- ❏ parecer

15. ¿Este fin de semana? Me parece que nos vamos a _____ en casa porque Eva no está muy bien. Tiene un resfriado muy fuerte.
- ❏ ir
- ❏ quedar
- ❏ estar

16. Galavisión es _____ de televisión que emite en español por satélite para todos los países hispanoahablantes.
- ❏ un programa
- ❏ una firma
- ❏ una cadena

17. A mí me encanta ir a ver _____ de arte, de pintura contemporánea especialmente. Ayer precisamente fuimos a ver una de dibujos de Picasso.
- ❏ exposiciones
- ❏ demostraciones
- ❏ museo

18. El cardiólogo le ha dicho a mi padre que tiene que _____ más: hacer un poco de deporte, caminar más, comer de una forma más equilibrada...
- ❏ sanar
- ❏ cuidarse
- ❏ revisarse

19. Verónica ha _____ mucho los últimos meses, unos 10 kilos.
- ❏ delgadado
- ❏ delgazado
- ❏ adelgazado

20. Anoche fuimos al Teatro Albéniz a ver una _____ de Shakespeare; era una compañía inglesa muy buena.
- ❏ pieza
- ❏ obra
- ❏ exhibición

21. He llamado a Pizza Mundo y nos _____ enseguida unas pizzas y unas cervezas. Así nos podemos quedar aquí trabajando.
- ❏ traerán
- ❏ aportarán
- ❏ llevarán

22. Le molesta mucho aquí en la pierna y se le ha hinchado bastante. Seguramente es una _____ de algún insecto.
- ❏ picada
- ❏ picadura
- ❏ picante

23. Los días laborables, al mediodía, es mi marido quien suele _____. Yo cocino los fines de semana y por las noches.
- ❏ preparar la comida
- ❏ cocinar la comida
- ❏ poner la cena

24. Me duele un poco el estómago. Algo me ha sentado mal. Voy a _____ un par de días.
- ❏ hacer dieta
- ❏ tener dieta
- ❏ comer dieta

14 Completa las palabras que faltan en este artículo sobre una película que se emite por la tele.

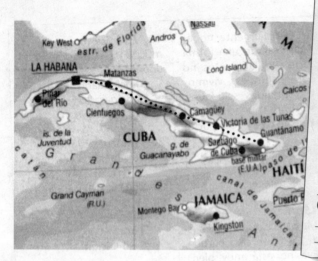

DE GUANTÁNAMO A LA HABANA

Guantanamera es la última película _____ Tomás Gutiérrez Alea y la segunda en _____ que colabora con Juan Carlos Tabío: la _____ fue *Fresa y chocolate*.
La acción central de *Guantanamera* parte de _____ situación real: en Cuba escasea, _____ otras cosas, el petróleo. Siendo así, ¿qué se puede hacer cuando _____ persona que vive en La Habana _____ hasta Guantánamo (en el extremo oriental de la _____) y se le ocurre morirse _____?

El hilo conductor de la película _____ el traslado de un cadáver desde Guantánamo _____ La Habana en un _____ de 1000 kilómetros con _____ los ingredientes de una comedia. Y es que los autores _____ que el humor debe ser una herramienta para exponer con la mayor fuerza todos _____ aspectos de la _____ del ser humano, y entre _____, el amor y la muerte.

(*El País*, texto adaptado)

CANAL + EMITE EL LUNES 23 A LAS 22H GUANTANAMERA, DIRIGIDA POR TOMÁS GUTIÉRREZ ALEA Y JUAN CARLOS TOBÍO.

15 ¿Qué formas son las adecuadas en estos contextos?

1. En la empresa necesitamos una nueva secretaria bilingüe. Buscamos a alguien que...
   a. hable muy bien inglés.
   b. habla muy bien inglés.

2. Carlo aprendió inglés de niño, porque...
   a. su familia vivió unos años en Estados Unidos.
   b. su familia ha vivido unos años en Estados Unidos.

3. Quiero salir con una amiga. ¿Cómo se lo pregunto?
   a. ¿Quedas con alguien esta noche? ¿Vamos a cenar juntos?
   b. ¿Has quedado con alguien esta noche? ¿Por qué no vamos a cenar juntos?

4. Creo que mañana Brigitte cumple treinta años. ¿Cómo lo pregunto?
   a. Mañana será el cumpleaños de Brigitte, ¿no?
   b. Mañana es el cumpleaños de Brigitte, ¿no?

5. Quiero saber la opinión de alguien sobre una película que vio el otro día. Le pregunto...
   a. ¿Te gusta?
   b. ¿Te gustó?

6. Me preguntan a dónde fui ayer por la noche. Respondo...
   a. Fui a cenar con unos amigos.
   b. Iba a cenar con unos amigos.

7. Explico por qué llego tarde a clase: "Es que..."
   a. he tenido un accidente.
   b. había tenido un accidente.

8. Llamo a una pizzería para encargar pizzas y digo...
   a. Llevarme, por favor, dos napolitanas y una caprichosa.
   b. Tráiganme, por favor, dos napolitanas y una caprichosa.

9. Los niños se pelean hoy todo el tiempo, han roto varias cosas...
   a. Hoy están un poco pesados.
   b. Hoy son un poco pesados.

10. Últimamente Herminia y Federico tienen algunos problemas.
    a. Se comportan mal.
    b. No se llevan muy bien.

11. Ha llamado tu hermano. Quiere saber...
    a. si vas a ir hoy a su casa.
    b. cuándo vas a venir a su casa.

12. En una fiesta hay una chica que no conoces. Preguntas:
    a. ¿Quién es esa chica de negro?
    b. ¿Cuál es esa chica de negro?

13. Un amigo te pide prestado un libro. ¿Cuál puede llevarse? Le respondes:
    a. Cuales quiera.
    b. El que quieras.

14. Piensas que Roberto no va a venir hoy a clase.
    a. No creo que viene.
    b. No creo que venga.

16 Clasifica las palabras con los temas con los que tienen relación. Puedes establecer más de una relación entre cada palabra y cada tema. Al final, habla con tu compañero, comprobad qué relaciones habéis establecido y razonad vuestras respuestas.

	SALUD	RELACIONES ENTRE PERSONAS	CARÁCTER	OCIO	VIAJAR	LENGUA
escribir						
entender						
turismo						
infección						
perezoso/a						
entenderse						
salir a cenar						
celos						
fiebre						
doler						
generoso/a						
cerrado/a						
tensión						
divertirse						
concierto						
orgulloso/a						
sensible						
conducir						
discutir						
consultorio						
reservar						

17 Continúa las series con tres palabras más para cada grupo.

ir al cine, salir a tomar algo, ir a bailar, ____ ____ ____

beber alcohol, fumar, no hacer ejercicio, ____ ____ ____

corazón, hígado, pulmones, ____ ____ ____

hablar, escuchar, traducir, ____ ____ ____

nervioso, contento, triste, ____ ____ ____

enfadarse, quererse, llevarse bien, ____ ____ ____

tímido, sociable, abierto, ____ ____ ____

continente, país, ____ ____ ____

18 ¿Con qué palabras puedes relacionar las que están en el centro de las "arañas"?

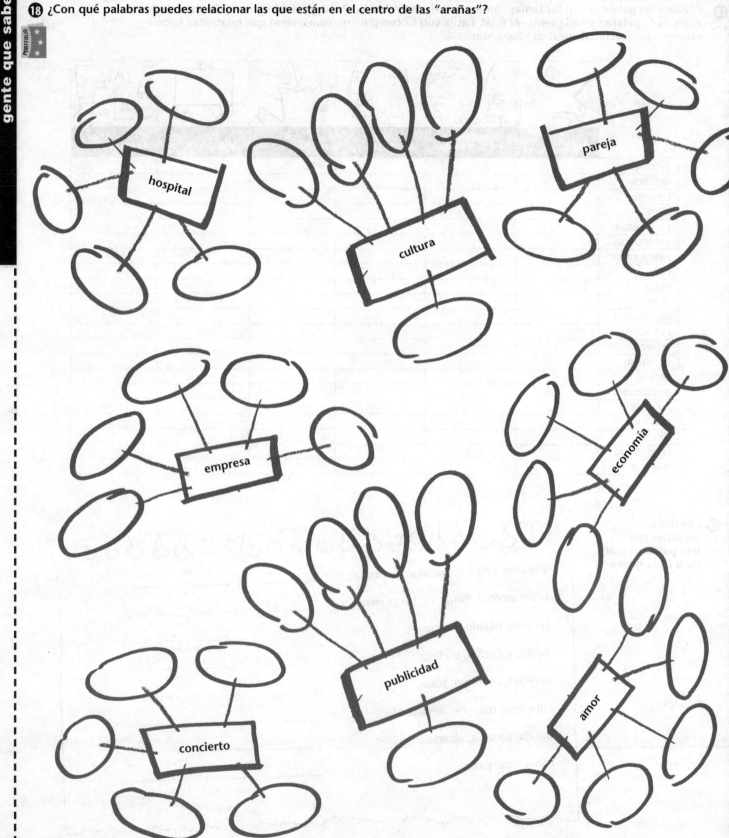

Así puedes aprender mejor

19 A veces queremos expresarnos y no sabemos cuál es la forma correcta de hacerlo, o dudamos entre dos formas distintas. Si estamos hablando, no podemos detenernos para consultar un diccionario o una gramática, pero sí podemos hacerlo cuando estamos escribiendo. También podemos hacer esa consulta en nuestra casa, después de haber mantenido la conversación en la que ha surgido la duda.

Vamos a practicar este tipo de consultas: te encuentras con dudas a la hora de continuar las siguientes frases. Puedes encontrar la solución a tus problemas en los consultorios gramaticales del *Libro del alumno*.

- ¿Qué (LE/SE/LA) (1) _____ ha pasado a tu hermana?
- No sé. Se ha (PONER) (2) _____ muy nerviosa.

- ¿Le has dicho a Juan que iremos a verlo?
- No, (LE LO/SE LE/SE LO) (3)_____diré mañana, cuando (VENIR) (4) _____ a casa.

No aguanto que me (DECIR) (5) _____ lo que tengo que hacer.

	SOLUCIÓN	LO HE ENCONTRADO EN LA PÁGINA...
1		
2		
3		
4		
5		

También puedes hacer una prueba consultando diversos diccionarios para encontrar el valor de las palabras subrayadas en estas frases.

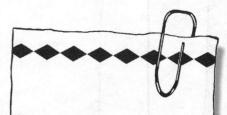

– Jaime encontró un piso a muy buen **precio** cerca del mercado.

– Hemos visto la nueva casa de Esther y Emilio; es **preciosa**.

– Siempre **apreció** mucho nuestra compañía.

– Se han **apreciado** diversos movimientos sísmicos en las zonas próximas al volcán.

Una forma de seguir progresando en el aprendizaje del español es consultar con frecuencia, y de manera eficaz, gramáticas y diccionarios. Un buen diccionario contiene mucha información sobre aspectos gramaticales y de uso de la lengua. ¿Tienes en tu casa y en la biblioteca de tu escuela una gramática y un diccionario con los que trabajes a gusto?

gente que sabe

PORTFOLIO **Autoevaluación**

Vamos a hacer una evaluación general de lo que hemos aprendido: ¿en cuáles de estas situaciones serías capaz de desenvolverte?

1. Presentar a un amigo de tu país a tus amigos españoles: explicar cómo es, qué cosas le gusta hacer, qué ha hecho en su vida profesional o de estudiante...

2. Dar consejos a un amigo que tiene problemas con las clases de español sobre lo que puede hacer para aprender mejor.

3. Ponerte de acuerdo con otra persona para quedar con ella y hacer algo una tarde del próximo fin de semana: expresar tus preferencias, elegir una actividad, concretar la cita (hora, lugar, etc.).

4. Interesarte por una persona que tiene algún problema de salud y darle una serie de recomendaciones.

5. Describir un aparato u objeto que quieres comprar: su función, su forma, etc.

6. Explicar qué hiciste ayer.

7. Describir una empresa o un servicio que utilizas a menudo y valorarlo.

8. Defender tus opiniones en una reunión sobre un tema determinado.

9. Explicar un problema personal de alguien conocido y dar tu opinión al respecto.

10. Transmitir a otra persona el contenido de una llamada telefónica que tú has recibido.

11. Dar información a alguien sobre cómo es tu país.

¿Has respondido negativamente a alguna pregunta? Consulta en el *Libro del alumno* qué has olvidado: eso será lo que debes volver a practicar.

Elige una de aquellas situaciones en las que has respondido afirmativamente y pon varios ejemplos de las cosas que dirías. Luego, busca en el *Libro del alumno* la unidad correspondiente y compara lo que has escrito con lo que se dice allí.